# Le Soja, le Tofu et le Seitan

## Colombe Plante

Typographie et mise en page : Carl Lemyre
Correction : Linda Cousineau
Révision : Madeleine Allaire, Cécile Rolland
Conception de la page couverture : Carl Lemyre
Graphisme : Carl Lemyre
Photos © 2001: Louise Gagnon
    Stylisme culinaire : Stéphan Boucher
    Accessoires : Luce Meunier


ISBN 2-89565-017-9

Dépôt légal : premier trimestre 2001
    Bibliothèque nationale du Québec
    Bibliothèque nationale du Canada

Première impression : 2001

**Données de catalogage avant publication (Canada)**

Plante, Colombe, 1946-

    Le soja, le tofu et le seitan

    Comprend un index

    ISBN 2-89565-017-9

    1. Cuisine (Soja). 2. Cuisine (Tofu) 3. Cuisine (Gluten) 4. Cuisine

végétarienne. 5. Cuisine santé I. Titre

TX803.S6P52 2001            641.6'5655            C2001-940367-4


Éditions AdA Inc.
172, Des Censitaires
Varennes, Québec, Canada, J3X 2C5
Téléphone : 450-929-0296
Télécopieur : 450-929-0220
**www.AdA-inc.com**
**info@AdA-inc.com**


**Diffusion**
Canada : Éditions AdA Inc.
Téléphone : 450-929-0296
Télécopieur : 450-929-0220
**www.AdA-inc.com**
**info@AdA.com**
France : D.G. Diffusion
        Rue Max Planck, B. P. 734
        31683 Labege Cedex
        Téléphone : 05.61.00.09.99
Belgique : Rabelais- 22.42.77.40
Suisse : Transat- 23.42.77.40
**Imprimé au Canada**

# Table des matières

## Les recettes

### Les tofus fouettés aux fruits

### Les salades

## Le Tofu
### Plats de résistance au tofu

#### Les repas de tofu

*Les desserts*

# Le seitan

# Dédicace

Je dédie ce livre à toutes les personnes de la terre qui s'offrent le merveilleux cadeau de s'alimenter à la source naturelle que sont les végétaux.

Que par le contenu de ce livre, il vous soit facile de vous connaître et d'apprivoiser le fonctionnement de votre organisme. Découvrez, vous aussi, les plaisirs et les bienfaits que procurent des aliments sains et régénérateurs, et ne soyez plus victimes d'une alimentation inadéquate, carencée ou mal équilibrée.

Je souhaite qu'à travers ce livre, vous puissiez développer respect et compassion envers tout ce qui est vivant, y compris les gens qui ne sont pas prêts à changer leur alimentation. C'est soi-même que l'on aime en agissant ainsi.


Avec amour,


*Colombe Plante*, conseillère nutritionniste

# Remerciements

Ce livre se veut une continuité de cette passion qui m'habite et qui me pousse à toujours vouloir créer. Je rends grâce à Dieu pour la chance qu'il me donne de vivre cette merveilleuse expérience de vie sur la terre.

Merci à tous les petits anges invisibles qui contribuent à la création de notre nourriture et aussi pour le souffle d'inspiration qui m'est sans cesse renouvelé.

Je tiens à remercier mes enfants et mes petits-enfants chéris, tous les amis qui m'accompagnent fidèlement et desquels je reçois continuellement encouragement et motivation. Je remercie chaleureusement la maison d'édition et son équipe auxquelles je me sens unie comme dans une grande famille d'Amour. Un hommage spécial à François et Nancy ainsi qu'à leur quatre petits enfants d'amour Thierry, Nycholas, Guillaume et Samuel que j'affectionne tendrement. Avec mon cœur de mère, je vous embrasse tous.

À tous ceux et celles qui ont acheté mes livres, suivi mes cours ou assisté à mes conférences, je souhaite harmonie, amour et santé.

Comme le soleil qui nous envoie gracieusement ses précieux rayons guérisseurs, soyons, nous aussi, bons et généreux envers nous-mêmes.

*Colombe Plante*

# Avant-propos

Pourquoi écrire un livre sur le soja, le tofu et le seitan ? Tout d'abord, cette idée m'est venue suite à la demande de nombreuses personnes désirant introduire plus de soja et de tofu dans leur alimentation. C'est pourquoi j'ai conçu des recettes végétariennes simples, complètes et rapides à partir d'ingrédients faciles à trouver et qui remplacent bien les protéines de la viande.

La saturation nous guette… Les excès de protéines et de mauvais gras (surtout animal), peuvent entraîner des problèmes de santé que nous avons coutume d'appeler « maladies ou désordres de civilisation ». Saviez-vous que notre système sanguin met plusieurs jours à éliminer la friture des croustilles qui ont baigné dans l'huile ? Cet ouvrage vous propose des recettes végétariennes pour vous aider à mieux préserver votre santé.

Le soja est reconnu pour son excellente valeur protéique. En effet, les dix acides aminés que notre corps ne peut pas synthétiser lui-même sont présents en quantités satisfaisantes dans les protéines du soja. Cette légumineuse contient aussi de la lécithine, un lipide qui aide à réduire le mauvais cholestérol du sang. Comme vous le savez, la digestibilité constitue aussi un facteur important de la qualité protéique d'un aliment. Or, les recettes que je vous propose ont été élaborées afin de permettre que les protéines soient bien assimilées par l'organisme.

En adaptant les idées que je vous suggère aux combinaisons alimentaires de base, vous pouvez inventer vos propres recettes à partir de ce que vous avez dans le garde-manger et dans le frigo. Ce livre a été spécialement conçu pour améliorer et alléger votre alimentation, pour faciliter et simplifier la tâche de préparer des repas nutritifs. Prenons soin de notre santé avec ardeur et n'oublions pas qu'il s'agit d'un héritage précieux de notre Créateur. Rendons-lui hommage en prenant conscience du mieux-être que nous ressentons lorsque nous nous alimentons d'une manière saine qui s'harmonise avec notre cheminement de vie. Tous les aliments font partie de la table du Bon Dieu, et il n'en tient qu'à nous de les choisir en fonction d'un meilleur équilibre et des véritables besoins de notre corps.

## Pourquoi ce livre ?

Ce livre est l'aboutissement de plus de vingt-cinq années de recherches et d'expériences de vie.

En tant que phytothérapeute et de naturothérapeute, j'étais déjà convaincue des bienfaits des médecines douces lorsque j'ai moi-même été frappée de graves désordres de santé. C'est à ce moment que j'ai choisi d'accéder à une alimentation plus régénératrice, mon but étant de découvrir plus à fond l'Amour et de guérir : un bien grand objectif à atteindre ! Munie de ma foi et de ma nouvelle façon de m'alimenter, j'y suis parvenue quelque sept années plus tard. Encore aujourd'hui, j'apprends à découvrir les profondeurs de l'être et à rechercher la guérison intérieure d'abord, pour ensuite participer consciemment à l'expérience de la Vie et accueillir la plénitude de Dieu et de l'univers tout entier à travers les multiples facettes du quotidien.

Dans ce livre, je partage avec vous tous les secrets du soja, du tofu et du seitan. Je vous dévoile les petits trucs que j'ai mis plusieurs années à mettre au point. Au début, le tofu que j'achetais aboutissait à la poubelle ! J'avais beau avoir de la bonne volonté, je n'arrivais pas à aimer la texture et le goût de cet aliment. J'ai essayé différentes façons de le cuisiner, mais rien n'y faisait. Avec le temps et beaucoup de détermination, j'ai fini par découvrir les secrets du soja et des assaisonnements qui lui conviennent et, petit à petit, j'en suis venue à raffoler de cette légumineuse. Maintenant, je cuisine, je fais germer des graines de soja et je peux me servir du tofu de l'entrée jusqu'au dessert ! Et je vous assure que le tofu est un ingrédient qui se prête très bien à la préparation de repas rapides et nutritifs. Enfin, n'oublions pas les multiples dérivés du soja dont je vous parlerai plus en détails au fil des pages qui suivent.

Mon expérience avec le seitan, autant en ce qui concerne sa fabrication que son utilisation, a été encore plus longue et plus laborieuse ! Après de nombreux essais, j'ai finalement réussi à obtenir la saveur et la texture que je souhaitais, et j'ai mis au point la recette de fabrication que je vous propose ici, à partir de farine de gluten. Je l'apprécie pour la saveur et la texture qu'elle permet d'obtenir de même que pour sa valeur nutritive plus complète. Le seitan nous permet de préparer des mets gastronomiques ou encore d'adapter ou de convertir nos recettes traditionnelles (à base de viande) en plats végétariens. Une fois cuit, le seitan peut aussi être conservé au congélateur pendant 2 à 3 mois. On le dégèle et on le façonne en cubes pour des brochettes ou des bouillis de légumes; on peut le hacher pour en faire des croquettes ou l'ajouter au macaroni chinois ou encore l'utiliser pour faire un pâté chinois. Comme le tofu, le seitan ne contient aucun cholestérol, et il est hautement digestible et riche en sels minéraux.

Vous trouverez, dans ce livre, plusieurs données et informations sur le soja et ses dérivés de même que sur le seitan fabriqué à base de farine de gluten et de farine de blé dur (farine à pain).

L'harmonie, la sérénité et la joie sont ce que nous désirons pour ce temple merveilleux qu'est notre corps. Je vous souhaite d'atteindre une belle complicité entre le ravitaillement de l'âme, du corps et de l'esprit afin de goûter à toutes les particules même invisibles qui ont contribué à nous donner cette précieuse nourriture. Soyons reconnaissants envers notre chère Mère la Terre.

# Retour aux sources

Cette vision d'une alimentation intégrale (corps, âme et esprit) nous mène aux sources de la santé. Nos émotions nous font grandir et cheminer dans la spiritualité. Je choisis de vivre avec un esprit positif. Être en santé et vivre pleinement son quotidien, voilà tout un défi !

Il se trouve en chacun de nous un merveilleux pouvoir de guérison auquel peuvent contribuer des pensées positives, un travail que l'on aime et qui met en valeur notre créativité. Pour atteindre l'harmonie, l'activité physique, les exercices ou le sport sont aussi importants que la foi et la confiance que nous avons en nous-mêmes.

En consommant surtout des aliments naturels, c'est-à-dire ceux qui proviennent de la terre, nous pouvons nous transformer et influencer le fonctionnement de notre organisme. Avec le temps et de la persévérance, vous constaterez les changements. Vous ressentirez un mieux-être, un meilleur équilibre et plus d'énergie. Au début, le changement d'alimentation demande des efforts, mais une fois intégré à notre quotidien, tout devient simple, facile et naturel. C'est toujours une question de choix.

Les aliments naturels sont bien équilibrés et remplis d'énergie. C'est pourquoi ils aident à purifier nos humeurs et à maintenir notre corps en bon état. L'énergie nouvelle des végétaux nourrit notre corps dans toutes ses dimensions. Nous nous sentons investis de paix et de joie.

Voyons maintenant ces aliments imprégnés de vie et qui nous procurent tant de bonheur, de plaisir et de joie :

- **Les céréales :**   Il existe une grande variété de céréales et il ne faut pas oublier que de varier les différentes céréales ne peut que favoriser l'équilibre de l'organisme.

- **Le blé** [1] : Il est souvent qualifié de « reine des céréales », car il contribue à la bonne santé de l'organisme.  On l'utilise pour fabriquer du pain et des pâtes alimentaires ou encore comme céréales du matin.  De plus, le blé est cultivé chez nous, au Québec, dans notre environnement, ce qui peut ajouter encore plus à notre bien-être : tout ce qui pousse dans notre climat nous convient bien.  Il existe deux sortes de blé : le blé mou qui est utilisé dans la fabrication de la farine à pâtisserie, et le blé dur qu'on utilise pour faire le pain et les pâtes alimentaires.  Grâce à sa richesse en gluten, le blé dur sert aussi à la fabrication du seitan.  D'autres céréales comme le millet, le quinoa, le seigle, l'orge, l'avoine, le riz, le sarrasin, le kamut et l'épeautre sont aussi  excellentes…

- **L'avoine :**   Cette céréale est recommandée en saison froide, car elle est énergétique et réconfortante pour l'organisme. Elle a une action favorable sur le teint et la peau. Cependant à cause de sa forte teneur en purines, elle est à proscrire (ou à consommer avec modération) dans le cas de personnes ayant certains désordres de santé tels que l'arthrite, le rhumatisme, la candidose, l'hypoglycémie, etc.

- **Le millet, le quinoa et le sarrasin :**   Toutes très alcalines, ces céréales conviennent à tous et particulièrement aux personnes malades, puisqu'elles sont très faciles à digérer.

- **Le pain :**   Toujours choisir des pains faits de farines complètes pour remplacer le pain blanc enrichi.

---

1 Pour ceux et celles qui ne tolèrent pas ou qui sont allergiques au blé, utiliser d'autres céréales comme le riz, le sarrasin, le seigle, etc.

- **Les légumes :** Offerts en grandes variétés, ils constituent la base de notre alimentation, car ce sont des aliments régénérateurs pour l'organisme, surtout les légumes verts qui contiennent de la chlorophylle. De plus, ces derniers sont très riches en vitamine C.

- **Les fruits frais et séchés :** Ce sont les meilleures sources de sucre que l'on peut offrir à l'organisme. En ce qui concerne les fruits séchés, ils nous intéressent surtout l'hiver, car ils ont une haute valeur énergétique et ils aident à augmenter notre endurance au froid.

- **Les amandes et les graines de tournesol, de citrouille, de sésame et de lin :** Elles font des merveilles pour notre santé. Il existe d'autres noix qui sont également excellentes. Cependant, tous ces aliments oléagineux doivent être consommés en petites quantités à la fois. Personnellement, j'aime beaucoup les graines citées ci-dessus pour leurs nombreux bienfaits dont une action alcalinisante sur le sang et leur grande digestibilité.

- **Les viandes et les poissons :** Le poisson et le poulet de grain sont les viandes les plus saines. Les produits d'origine animale comme les œufs, le fromage écrémé et le yogourt sont aussi recommandables (semi-végétarisme).

- **Les légumineuses :** Elles nous offrent une grande variété de bonnes protéines. Citons, entre autres, le soja, les lentilles, les haricots rouges, les pois verts ou jaunes, les pois chiches, les haricots de Lima et les haricots noirs.

- **Les boissons-santé :** Les tisanes ou les boissons de céréales prises après un repas favorisent la digestion.

- **Les huiles :** Il est très important de choisir des huiles de première pression à froid, sinon elles risquent d'intoxiquer l'organisme à cause des résidus qui sont trop longs à éliminer. Voici quelques propriétés des différentes huiles que l'on retrouve couramment sur le marché.

*L'huile de soja :* nutritive, haute teneur en minéraux, énergétique et aussi très équilibrante pour l'organisme. Elle est souvent utilisée dans les vinaigrettes, les sauces à salade et aussi pour la cuisson.

*L'huile d'olive :* très douce, haute teneur en minéraux, énergétique, cholagogue et laxative. Elle adoucit le tube digestif et favorise les sécrétions biliaires. C'est l'huile la plus facile à digérer.

*L'huile de carthame :* contient de précieux acides gras dont l'acide linoléique.

*L'huile de tournesol :* goût fin et subtil, odeur légère et agréable.

*Il y a aussi les huiles de noix,* mais celles-ci ne doivent être consommées qu'en petites quantités à la fois parce qu'elles contiennent et des protides et des lipides, ce qui augmente le temps de digestion.

• **Les fines herbes :** Basilic, origan, thym, sarriette, etc. Choisir, de préférence les herbes fraîches lorsque c'est possible. L'utilisation de fines herbes permet de diminuer les quantités de sel et de poivre dans nos mets. Le sel et le poivre ordinaires peuvent facilement être remplacés par le sel de mer et le poivre de cayenne respectivement. Les magasins de produits naturels offrent une grande gamme de substituts de sel tels que le miso, la sauce tamari, la sauce à la Bragg ou encore le concentré de légumes en poudre, en pâte ou en cubes.

Vous connaissez sans doute le dicton suivant : « Dis-moi ce que tu manges, je te dirai qui tu es. »

# Les vertus du soja et les multiples façons de l'utiliser

Véritable reine des légumineuses, le soja possède des qualités nutritionnelles exceptionnelles surtout grâce à sa haute teneur en protéines et en acides aminés essentiels. Ses graines sont aussi riches en calcium, en fer, en vitamine B, en fibres et en lipides. Il importe cependant de bien mastiquer les graines de soja pour permettre aux enzymes de bien les digérer. Lorsqu'on associe soja et légumes verts, on peut préparer d'excellents repas équilibrés. Le soja remplace avantageusement la viande et ce, à tous les points de vue. Voici un bref aperçu des bienfaits thérapeutiques du soja :

- favorise l'équilibre des œstrogènes;
- diminue les risques de cancer;
- prévient la constipation;
- aide à stabiliser le sucre sanguin;
- réduit le taux de mauvais cholestérol sanguin ainsi que celui des triglycérides;
- prévient et aide à défaire les calculs biliaires;
- excellent pour le système cardio-vasculaire.

Voici différentes façons d'utiliser le soja :

-La graine de soja nécessite un trempage préalable de vingt-quatre heures après quoi il faut bien la rincer avant de la faire cuire ou germer (voir la section des recettes);

-Le soja concassé est pratique pour sa grande rapidité de cuisson;

-La farine de soja est dépourvue de gluten, cependant elle ne lève pas comme la farine de blé. C'est pour cela que l'on ne doit en ajouter que de petites quantités pour préparer des crêpes, des biscuits, des gâteaux ou des muffins. À noter que le goût de la farine de soja est également plus prononcé que celui de la farine de blé à laquelle on est souvent plus habitués.

• La boisson de soja est une excellente source de vitamines (thiamine, riboflavine, niacine, vitamine B6 ) et d'éléments minéraux (potassium, magnésium, cuivre, phosphore, fer). Cependant, en usage exclusif, on recommande de choisir une boisson de soja enrichie de calcium et de vitamine B12 ou encore de prendre ces deux derniers éléments sous forme de suppléments alimentaires.

Les protéines contenues dans la boisson de soja sont d'excellente qualité, mais légèrement déficitaires en méthionine, un acide aminé essentiel. C'est la raison pour laquelle on lui associe d'autres aliments pour obtenir des repas complets à tous points de vue (voir la section des recettes un peu plus loin).

• En ce qui concerne les matières grasses, le soja est riche en lécithine et il contient surtout des acides gras insaturés. C'est un aliment alcalin qui a une action bénéfique sur le système digestif, qui aide à prévenir l'anémie et à stimuler la production d'hémoglobine. Et finalement, il est complètement dépourvu de cholestérol.

• Poudre de soja (protéine) : supplément alimentaire très concentré. J'en prends moi-même une cuillerée à soupe (15 ml) par jour, soit dans de l'eau, du jus ou encore saupoudrée sur les aliments. Contrairement à la boisson de soja, la qualité protéique de la poudre de soja est exactement la même que celle des graines entières (fèves).

• La lécithine : Considérée comme un élément anti-stress, la lécithine granulée ou en capsule favorise l'élimination du mauvais gras comme le cholestérol. Elle aide à maintenir une bonne mémoire et à prévenir les taches brunes sur la peau.

• Le tofu : Fabriqué à partir des graines (ou fèves) de soja, le tofu est connu depuis plus de 2000 ans en Asie où il occupe une grande place dans l'alimentation. Les connaissances se sont étendues plus tard dans le monde occidental. Le tofu a une consistance un peu gélatineuse mais ferme. Il surprend quand on y goûte pour la première fois. Fade, il est presque dépourvu de saveur ce qui en fait un ingrédient quasi magique puisqu'il prend le goût des aliments avec lesquels il est préparé, autant en ce qui concerne l'aspect salé que sucré.

On le trouve partout dans les magasins de produits naturels, les épiceries orientales, les supermarchés et les marchés de fruits et de légumes. Le tofu est vendu en vrac baignant dans de l'eau ou enveloppé individuellement dans un emballage sous vide (ce dernier élimine les risques de contamination et prolonge sa durée de conservation.) Toujours vérifier la date de péremption qui figure sur l'emballage, cette date est valable aussi longtemps que le paquet n'a pas été ouvert. Une fois ouvert, il se conserve dans l'eau au réfrigérateur pendant environ une semaine mais il faut changer l'eau tous les jours. Il se vend aussi dans de petits contenants de carton de 340 grammes (12 onces). Sa texture soyeuse est idéale pour les potages, les sauces, les mayonnaises, etc. On peut aussi le passer dans le mélangeur avec des fruits frais pour en faire des mousses ou des glaçages à gâteaux, par exemple.

Une richesse en fer... Le tofu contient de deux à trois fois plus de fer qu'une portion équivalente de viande (cuite). Afin de mieux assimiler ce fer, on suggère d'accompagner un repas de tofu d'une salade verte avec du jus de citron frais (pour la vitamine C qu'apporte le citron frais). À noter qu'on peut aussi prendre de la vitamine C sous forme de comprimé (250 mg ou plus). Dans le processus de fabrication du tofu, le soja perd beaucoup des fibres qui sont contenues dans ses graines.

Quand on le congèle avant de le cuisiner, le tofu devient poreux.  Je préfère le cuisiner et bien l'assaisonner avant de le congeler.  Ainsi il reste excellent et sa texture ne change pas.

1 bloc de tofu de 450 grammes (16 oz ou 1 livre) donne un rendement de 4 portions.

# Les dérivés du soja

**Le tempeh :** Aliment de base très nourrissant fait à partir de graines de soja fermentées, le tempeh a une texture plutôt caoutchouteuse et une saveur prononcée. On le mélange habituellement avec d'autres légumineuses telles que le haricot blanc ou rouge, les arachides, les lentilles ou avec des céréales comme l'avoine, l'orge, le blé, le millet, etc. On trouve le tempeh dans les magasins de produits naturels. Il peut être recouvert d'une mince couche blanchâtre et dégager une odeur de champignon. On voit aussi des taches grises ou noires à sa surface qui proviennent de la fermentation, c'est normal. Son goût ne plaît pas à tous. Il est préférable de l'utiliser en petites quantités à la fois dans les soupes, les sauces, les ragoûts, les lasagnes.

**Le miso :** Fabriqué à partir des graines (fèves) de soja légèrement fermentées, le miso contient de bonnes propriétés thérapeutiques, notamment pour les intestins. Il donne un goût salé aux aliments. Le miso peut également être fabriqué à partir de certaines céréales. Personnellement, je préfère celui à base de soja pour sa grande valeur protéique et pour ses vertus thérapeutiques. Quand on introduit un aliment comme le miso dans son alimentation, il faut commencer par de petites quantités (2 ml ou 1 /2 c. à thé) à la fois et augmenter graduellement selon son goût. Le miso peut être utilisé quotidiennement et il remplace avantageusement le bouillon de bœuf utilisé pour assaisonner. Je l'emploie souvent avec le tamari, car je trouve que ces deux ingrédients vont bien ensemble. Ils donnent un bon goût aux mets que l'on prépare, sont d'excellents substituts de sel et, enfin, sont des aliments sains.

**Le tamari :** Un substitut de sel qui peut aussi remplacer la sauce soja. C'est un excellent assaisonnement pour toutes les recettes de soupes, de sauces, de ragoûts, de pâtés, etc.

**Les pâtes alimentaires de soja :** Délicieuses et riches en protéines de bonne qualité, elles sont aussi facilement digestibles.

**Les noix de soja** (graines de soja rôties) remplacent les arachides.

**L'huile de soja :** Je l'emploie souvent dans la cuisson ou dans les sauces à salade (première pression à froid).

**La farine de soja :** Peut être employée dans les crêpes, biscuits ou muffins, en mélangeant une petite quantité avec une autre farine comme celle du blé, du maïs ou de l'épeautre. De texture un peu pâteuse, la farine de soja est plus lourde que les autres.

# Le soja et ma santé

## Le soja et les différents groupes sanguins

Chez les personnes du groupe sanguin A, le soja et ses dérivés favorisent une bonne digestion et aident à renforcer le système immunitaire. Le soja et toutes les légumineuses sont recommandés pour les personnes des groupes B et AB. Pour celles du groupe O, on suggère plutôt le dolique à œil noir. (Référence : Peter J. D'Adamo n.d.).

En vivant auprès de mon époux, j'ai constaté que nos besoins alimentaires n'étaient pas les mêmes. Lui, un « chasseur-né » du groupe sanguin O, aimait beaucoup la viande, tandis que moi, appartenant plutôt à la catégorie « cultivateurs-nés » et de groupe sanguin A, je préfère les fruits et les légumes. Quel beau mariage d'idées et de perceptions différentes ! Grâce à un profond respect mutuel, nous avons vécu dans l'harmonie malgré nos différences. À noter que les gens du groupe sanguin O ne ressentent pas tous le besoin de manger de la viande, mais ils doivent tenir compte d'un plus grand besoin de consommer des protéines végétales complètes. Je connais plusieurs végétariens de groupe sanguin O qui se portent très bien. Cela dépend naturellement de la philosophie de chacun par rapport à la viande et à l'abattage d'animaux dans le but de se nourrir.

Il y a des personnes qui sont allergiques au soja, mais elles le savent habituellement. Quoi qu'il en soit, il est toujours important de suivre les conseils de votre praticien de la santé.

Pour ma part, j'utilise régulièrement le soja et plusieurs de ses dérivés. Cette légumineuse aide entre autres à mieux traverser la période de la ménopause. Par ailleurs, avec mes antécédents d'hypoglycémie, j'apprécie son rôle de stabilisateur du sucre sanguin. Le soja est aussi un excellent aliment anti-fatigue.

Voici une petite anecdote…

J'ai participé, il y a quelque temps, à une table ronde pour une émission de télévision dans le cadre du Salon du Livre de l'Outaouais. Il y avait aussi une diététiste, un fin connaisseur de fromages et l'auteur d'un livre sur la survie en forêt avec très peu de nourriture. L'animatrice nous a demandé quel aliment nous choisirions si nous ne pouvions en choisir qu'un seul et qui, selon nous, serait le plus complet. J'ai immédiatement pensé au soja à cause de sa haute valeur nutritionnelle et de ses nombreuses vertus thérapeutiques. La diététicienne était, elle aussi, d'accord avec mon choix.

### Les graines de soja :

Je les fais germer et je les utilise dans les salades ou dans les soupes aux légumes. On peut aussi en faire de délicieux pâtés qui conviennent très bien aux convalescents et aux femmes enceintes. J'ai reçu des témoignages de gens qui m'ont expliqué que le fait d'avoir remplacé la viande par du soja les avait aidés à se sentir moins déprimés et même à guérir de certains cancers.

# Elixirs énergétiques

Voici un de mes élixirs préférés :

| |
|---|
| 30 ml (2 c. à s.) de poudre de soja (protéine de soja) |
| 30 ml (2 c. à s.) de graines de lin |
| 15 ml (1 c. à s.) de lécithine granulée |
| 1 poignée de raisins secs ou 2 à 3 abricots séchés |
| 1 capsule de vitamine C (500 mg) (ou un comprimé écrasé) ou le jus de 1/2 citron frais |
| 125 ml (1/2 t) de jus de pommes, de pruneaux ou de canneberges (sans sucre ajouté) |
| 125 ml (1/2 t) d'eau |

## PRÉPARATION :

↪ Passer tous les ingrédients au mélangeur. Boire cet élixir avant le petit-déjeuner ou avant de faire de l'exercice ou du sport. Très énergisant, ce breuvage est fort régénérateur pour l'organisme tout entier.

## Tonique pour le cœur :

| |
|---|
| 1 à 2 carottes |
| 1/3 citron frais pelé |
| 1 branche de céleri |
| 1/2 betterave (ou moins) |
| 1 poignée de luzerne |
| 15 ml (1 c. à s.) d'huile de carthame (ou moins) |
| 30 ml (2 c. à s.) de poudre de soja (protéine) |

**PRÉPARATION :**

 Bien nettoyer les légumes, les couper en morceaux et les passer à l'extracteur. Ajouter l'huile de carthame et la poudre de soja. Bien mélanger le tout et boire, à petites gorgées, 30 minutes avant le repas du midi ou du soir. À noter qu'une bonne insalivation permet de profiter pleinement des bienfaits de ce tonique.

## *Anti-cholestérol :*

 Préparer un jus à l'extracteur (à base de fruits ou de légumes, au choix). Ajouter 30 ml (2 c. à s.) de lécithine granulée. Boire ce jus 20 minutes avant un repas. Il est recommandé de manger beaucoup de légumes verts et d'éviter les graisses saturées.

# La germinatin du soja

Les germes de soja peuvent être mélangés dans l'extracteur à jus avec vos légumes préférés.    Étant donné que ce sont des aliments très concentrés en vitamines et en minéraux, n'utiliser que 65 ml (1/4 t) à la fois.  Vous pouvez également en ajouter à vos salades, à vos légumes cuits ou même à vos soupes.

Équipement de base pour la germination du soja:
- 1 contenant de 1 litre (pot Mason 32 oz, par exemple)
- 1 moustiquaire de nylon (ou un morceau de gaze ou de mousseline)
- 1 élastique

- Déposer 85 ml (1/3 t) de graines de soja (fèves de soja) dans le contenant;
- Recouvrir du moustiquaire et fixer à l'aide de l'élastique;
- Rincer abondamment à l'eau tiède;
- Remplir le contenant aux 3/4 avec de l'eau à la température de la pièce et laisser tremper les graines pendant 24 heures;
- Jeter l'eau de trempage (excellente pour les plantes) et bien rincer.  Par la suite, les rincer au moins une fois par jour;
- Placer le pot à la noirceur, penché dans un angle de 45 degrés, jusqu'à ce que les jeunes pousses apparaissent (2 à 3 jours, environ).

Pendant la saison hivernale, je consomme régulièrement des germes de soja avec d'autres légumineuses et avec des céréales germées.  Leur importante valeur nutritive est particulièrement appréciable durant cette période de l'année où la nature s'est endormie.

# Recommandation

Il est toujours important d'être à l'écoute de son corps. Quand on se sent bien après un repas, calme mais énergique, quand on ne ressent pas de somnolence, qu'on n'a ni gonflement, ni ballonnement, ni nausées, voilà des indices d'une bonne digestion. Les intestins doivent également bien fonctionner. Naturellement, en cas de doute, consulter un spécialiste de la santé.

NOTE : Dans les recettes qui suivent, vous pouvez remplacer la boisson de soja par de la boisson de riz ou *boisson* d'amandes ou encore par du lait.

# Les tofus fouettés aux fruits

# Tofu fouetté aux fraises et aux abricots

*Un délice onctueux !*

| |
|---|
| 250 ml (1 t) de fraises fraîches ou surgelées, non sucrées |
| 6 à 8 abricots séchés |
| 500 ml (2 t) d'eau |
| 30 ml (2 c. à s.) de concentré congelé, non sucré, de jus d'ananas, de pomme ou d'orange |
| ou remplacer l'eau et le jus concentré par 335 ml (1 1/3 t) de jus de fruits non sucré, au choix |
| 85 ml (1/3 t) de tofu crémeux (vendu en petite boîte) |

**1 À 2 PORTIONS**
**PRÉPARATION : 5 MINUTES**

- Laver les fruits et mettre tous les ingrédients au mélangeur. Fouetter à grande vitesse. Selon la texture désirée, augmenter ou diminuer la quantité d'eau.

- Une excellente collation.

- Pour un petit-déjeuner, j'ajoute 5 à 6 amandes et 30 ml (2 c. à s.) de graines de lin et j'augmente la quantité de fraises. Des graines de tournesol ou de sésame peuvent aussi être ajoutées au mélange à fouetter pour un petit-déjeuner encore plus nourrissant.

*Variante : le tofu crémeux peut être remplacé par du tofu glacé, par exemple, lorsqu'il fait chaud l'été.*

*Nutritives et pleines de vitamines essentielles et de minéraux, les fraises, surtout fraîches, renforcent naturellement le système immunitaire.*

*VOIR PHOTO PAGE 68*

# Tofu fouetté aux canneberges et aux raisins rouges ou verts

*Redécouvrez le goût des canneberges*

---

250 ml (1 t) de canneberges fraîches ou surgelées

---

1 grappe de raisins rouges ou verts

---

250 ml (1 t) de jus de pomme et de raisin non sucré

*ou*

---

250 ml (1t) d'eau avec 30 ml (2 c. à s.) de concentré de jus de pomme congelé

---

85 ml (1/3 t) de tofu crémeux (vendu en petite boîte)

---

65 ml (1/4 t) de boisson de soja ou 15 ml (1 c. à s.) de poudre de soja (protéine en poudre)

---

**1 À 2 PORTIONS**
**PRÉPARATION : 5 MINUTES**

↬ Laver les canneberges et les raisins. Mettre tous les ingrédients dans le mélangeur et battre à grande vitesse pour bien fouetter. Selon la texture désirée, diminuer ou augmenter la quantité d'eau ou de jus.

Variante : Remplacer le tofu par 6 ou 7 amandes.

*Les canneberges contiennent de la vitamine C et du potassium. Elles possèdent, en outre, de nombreuses vertus thérapeutiques : elles favorisent une bonne circulation sanguine, elles sont bénéfiques pour le système digestif et on s'en sert dans le traitement des infections urinaires.*

boire jus de canneberge hypocalorique

# Tofu fouetté aux bananes et à la mangue
## *Un goût exceptionnel !*

| |
|---|
| 1 banane mûre |
| 1 mangue mûre |
| 85 ml (1/3 t) de tofu crémeux (vendu en petite boîte) |
| 15 ml (1 c. à s.) de poudre de soja (protéine en poudre) (facultatif) |
| 1 goutte d'essence de vanille (facultatif) |
| 30 ml (2 c. à s.) de noix de coco non sucrée (facultatif) |
| 190 ml (3/4 t) de jus de poire, de pêche ou de pomme |
| 125 ml (1/2 t) d'eau |

**1 À 2 PORTIONS**
**PRÉPARATION : 5 MINUTES**

↶ Peler la banane et la mangue, puis les couper en morceaux. Mettre tous les ingrédients dans le mélangeur et fouetter à grande vitesse. Diminuer ou augmenter la quantité de jus selon la texture désirée.

↶ Une collation ou encore un petit-déjeuner léger si on y ajoute un peu de céréales.

*Très doux pour le système digestif, ce mélange nutritif riche en potassium est aussi un excellent anti-fatigue.*

# Tofu fouetté à l'ananas

## Velouté, léger et désaltérant

| |
|---|
| 1 /2 ananas (bien mûr) |
| 85 ml (1/3 t) de boisson de soja à la vanille ou autre |
| 85 ml (1/3 t) de tofu crémeux (vendu en petite boîte) |
| 250 ml (1 t) d'eau (ou plus, selon la consistance désirée) |
| 45 ml (3 c. à s.) de jus d'ananas concentré congelé non sucré (on peut aussi remplacer l'eau et le concentré de jus d'ananas par du jus d'ananas pur.) |

**1 À 2 PORTIONS**
**PRÉPARATION : 5 MINUTES**

⌒ Peler l'ananas. Fouetter tous les ingrédients au mélangeur à grande vitesse.

*Tellement savoureux !*

*Pour une petite touche d'exotisme, ajouter 65 ml (1/4 t) ou plus de noix de coco non sucrée.*

*Riche en enzymes, cette boisson facilite la digestion et aide à purifier le système digestif.*

# Tofu fouetté aux bleuets et aux poires

*Doux et désaltérant !*

500 ml (2 t) de bleuets frais ou surgelés

1 ou 2 poires

85 ml (1/3 t) de tofu crémeux (vendu en petite boîte)

125 ml (1/2 t) de boisson de soja à la vanille ou autre

125 ml (1/2 t) d'eau ou plus

30 ml (2 c. à s.) de jus d'ananas, d'orange ou de pomme, ou encore quelques raisins secs pour un goût différent.

**1 À 2 PORTIONS**
**PRÉPARATION : 5 MINUTES**

↬ Laver les fruits et couper les poires. Mettre tous les ingrédients dans le mélangeur et fouetter à grande vitesse. Si le mélange est trop épais, ajouter de l'eau ou du jus de fruits.

*C'est une autre recette de mes bons petits-déjeuners. En réduisant la quantité de liquide, on obtient une crème onctueuse dont on peut compléter la valeur nutritive avec des amandes et des graines de tournesol.*

*Les bleuets sont un beau miracle de la nature. Ils ont comme vertu particulière de nous aider à combattre les infections et à maintenir une bonne régularité intestinale. Ils nous offrent aussi un bon équilibre de sucres naturels indispensables à notre vitalité.*

*VOIR PHOTO PAGE 68*

# Tofu fouetté aux pêches

*En saison… à essayer absolument !*

| |
|---|
| 2 à 3 pêches mûres |
| 1/2 à 1 banane mûre |
| 85 ml (1/3 t) de tofu crémeux (vendu en petite boîte) |
| 85 ml (1/3 t) de boisson de soja à la vanille ou autre |
| 30 ml (2 c. à s.) de noix de coco non sucrée (facultatif) |
| 250 ml (1 t) d'eau ou plus |
| 30 ml (2 c. à s.) de concentré de jus de pomme congelé, non sucré, ou remplacer l'eau et le concentré de jus de pomme par du jus de pomme pur. |

**1 À 2 PORTIONS**
**PRÉPARATION : 5 MINUTES**

➻ Bien laver les pêches et couper les fruits en gros morceaux. Mettre tous les ingrédients au mélangeur et fouetter à grande vitesse.

➻ N.B. : Hors saison, remplacer les pêches par des poires ou des pommes. On peut également mettre moitié eau et moitié jus pur.

➻ Selon la texture ou le goût désiré, augmenter ou diminuer la quantité d'eau et de jus.

*Une caresse pour le palais et toute une douceur pour le système digestif.*

*Une bonne source de potassium et de vitamines A et C (surtout en saison, lorsque les fruits sont frais). Cette boisson favorise l'élimination, car elle est légèrement laxative et diurétique.*

*VOIR PHOTO PAGE 68*

# Tofu fouetté énergétique

## Pour une plus grande efficacité organique

125 ml (1/2 t) de tofu crémeux (vendu en petite boîte)

30 ml (2 c. à s.) de graines de lin

15 ml (1 c. à s.) de psyllium ou d'agar-agar

5 ml (1 c. à thé) de poudre de bactéries lactiques ou
1 capsule

1 ml (1/4 c. à thé) de spiruline en poudre ou
2 comprimés (facultatif)

1 grappe de raisins rouges ou verts

65 ml (1/4 t) de raisins secs ou de
pruneaux dénoyautés

315 ml (1 1/4t) d'eau ou moitié jus de pomme et
moitié eau

**1 À 2 PORTIONS**
**PRÉPARATION : 5 MINUTES**

Mettre tous les ingrédients dans le mélangeur et fouetter à grande vitesse. Ajuster la quantité de liquide selon la texture désirée.

*Une bonne insalivation permet de profiter pleinement des bienfaits de ce mélange. Peut accompagner un petit-déjeuner de fruits ou servir de boisson énergisante avant un entraînement physique ou encore 30 minutes avant un repas. Un autre de mes petits-déjeuners préférés auquel j'ajoute 2 à 3 fruits frais, 3 à 4 amandes et 30 ml (2 c. à s.) de graines de sésame.*

*Nourrissante et douce pour l'intestin cette boisson favorise aussi une bonne élimination. Un véritable cadeau pour l'organisme.*

# Les salades

# Salade de tofu au cari et au gingembre

## Une salade rafraîchissante

1 bloc de tofu (450 g ou 16 oz) coupé en petits cubes

45 ml (3 c. à s.) de tamari

15 ml (1 c. à s.) d'huile de soja ou autre

1/2 oignon espagnol haché

1 gousse d'ail hachée

1 grosse carotte hachée

750 ml (3 t) de haricots verts coupés en biseau

750 ml (3 t) de choux rouge coupé finement

15 ml (1 c. à s.) de gingembre frais râpé

65 ml (1/4 t) d'huile de tournesol, de soja ou autre

Le jus de 1/2 citron

5 ml (1 c. à thé) de cari

Origan et basilic au goût

Sel de mer aromatique

Poivre de cayenne

**4 PORTIONS**
**PRÉPARATION : 25 MINUTES**

- Faire dorer le tofu dans un poêlon antiadhésif. Lorsque le tofu est bien doré, ajouter le tamari et l'huile. Mélanger tous les ingrédients et laisser macérer de 3 à 4 heures (si possible) ou encore mieux, la préparer une journée à l'avance. Le goût n'en sera que rehaussé.

- Servir sur un lit de laitue et de luzerne, sur du riz, du millet, du quinoa ou des pâtes. Garnir avec des radis et des germes ou des noix de soja.

*Un repas stimulant et facile à digérer. Une excellente source de protéines, de vitamines et de minéraux qui aident à renforcer le système immunitaire.*

# Salade de betteraves, de pommes et de tofu

## Une jolie salade énergisante

| |
|---|
| 4 betteraves moyennes, cuites et coupées en cubes |
| 1 branche de céleri émincée |
| 1 pomme jaune ou rouge, coupée en cubes |
| 1 bloc de tofu (450 g ou 16 oz) coupé en cubes |
| 45 ml (3 c. à s.) de tamari |
| 1 gousse d'ail hachée |
| 1 oignon vert émincé |
| Le jus de 1 citron |
| 65 ml (1/4 t) d'huile de carthame ou autre |
| Soupçon de cannelle |
| Sel de mer au goût |
| 85 ml (1/3 t) de noix de soja (vendues en magasin) (facultatif) |

**4 À 6 PORTIONS**
**PRÉPARATION : 20 MINUTES**

- Mélanger les betteraves, le céleri et les pommes. Réserver. Faire dorer les cubes de tofu dans une poêle légèrement huilée. À la fin, ajouter le tamari et verser dans le mélange de betteraves. Ajouter le reste des ingrédients à l'exception des noix de soja qui ne doivent être ajoutées qu'au moment de servir.

- Variante : Les betteraves peuvent être utilisées crues, pelées et râpées. Les pommes peuvent être remplacées par des cubes d'ananas. Un peu de mayonnaise rehausse cette délicieuse salade.

- Servir sur un lit d'épinards et garnir de luzerne.

*Riche en potassium, en vitamines A et C, en fer, en calcium et en acide folique, cette salade est excellente pour aider à prévenir l'anémie.*

# Salade de chou-fleur W/W

*Une salade qui sort de l'ordinaire*

| |
|---|
| 1 chou-fleur moyen, râpé |
| 3 ou 4 oignons verts (échalotes) hachés |
| 2 carottes râpées |
| Quelques feuilles de laitue romaine déchiquetées |
| 1 bloc de tofu (450 g ou 16 oz) <u>râpé</u> |
| 15 ml (1 c. à s.) d'huile de soja ou autre |
| 45 ml (3 c. à s.) de tamari *soya* |
| 15 ml (1 c. à s.) de gingembre frais, râpé |
| 85 ml (1/3 t) de mayonnaise naturelle (plus ou moins, *hellman'/2mG* au goût) |
| 65 ml (1/4 t) de boisson de soja *ou d'amande.* |
| Sel de mer aromatique |

**4 À 6 PORTIONS**
**PRÉPARATION : 15 MINUTES**

↝ Mélanger les quatre premiers ingrédients. Faire dorer le tofu dans une poêle avec l'huile et ajouter le tamari et le gingembre à la toute fin. Bien mélanger avec les légumes, incorporer le reste des ingrédients et remuer. (Si vous faites dorer le tofu dans un poêlon antiadhésif, verser l'huile en dernier avec le tamari et le gingembre.)

↝ N.B. : Pour un goût plus acidulé, ajouter du jus de citron *lime* frais.

*Vraiment différente ! À savourer ! Hautement réconfortante, cette salade aide à régénérer tout l'organisme.*

*Le chou-fleur, comme les autres choux, possède des vertus de prévention des cancers. Il contient du potassium, de l'acide folique, des vitamines B6 et C de même que du cuivre.*

# Salade de haricots verts Non.

*Un délice… une salade qui peut facilement être préparée à l'avance*

500 ml (2 t) de haricots verts coupés,
crus ou légèrement cuits

500 ml (2 t) de maïs en grains, frais ou surgelé,
cru ou cuit

1 poivron rouge coupé en dés

2 oignons verts (échalotes) tranchés

1 branche de céleri tranchée

2 pommes de terre (légèrement cuites) coupées en dés

15 ml (1 c. à s.) de basilic

Sel de mer aromatique

Poivre de cayenne

Vinaigrette au choix : française ou italienne
(voir table des matières)

**3 À 4 PORTIONS**
**PRÉPARATION : 20 MINUTES**

∽ Mélanger tous les ingrédients et les arroser de vinaigrette.

∽ Variante : Cette salade est délicieuse avec 85 ml (1/3 t) de boisson de soja, 85 ml (1/3 t) de mayonnaise naturelle et le jus de 1/2 citron.

∽ S'apporte très bien dans le panier à pique-nique ou la boîte à lunch.

*Riche en fibres, en vitamines et en minéraux, un mélange tonifiant et dépuratif qui aide à prévenir et à combattre les infections.*

# Concombres à la crème au tofu et au fenouil w|w

## *Tout simple !*

| |
|---|
| 3 concombres moyens non pelés |
| Persil au goût |
| Luzerne au goût |
| 5 ml (1 c. à thé) d'aneth ou plus |
| 65 ml (1/4 t) de mayonnaise naturelle ou plus |
| 85 ml (1/3 t) de tofu crémeux (vendu en petite boîte) |
| 30 ml (2 c. à s.) de fenouil frais haché |
| Sel de mer aromatique |
| Poivre de cayenne au goût |

**4 PORTIONS**
**PRÉPARATION : 10 MINUTES**

∽ Racler les concombres lavés avec une fourchette sur le sens de la longueur. Les trancher finement, puis les disposer sur un plateau ou une grande assiette. Décorer avec du persil et de la luzerne, puis parsemer d'aneth. Réserver. Mélanger le reste des ingrédients et fouetter à l'aide d'une fourchette ou d'un fouet. Verser cette crème sur les tranches de concombre et servir immédiatement.

∽ Remarque : Il est préférable de choisir des concombres biologiques, mais si vous utilisez des concombres ordinaires, il suffit de bien les nettoyer avec un savon spécial conçu à cet effet et une brosse. S'il s'agit de concombres cirés, les peler.

*Le concombre contient des quantités appréciables de potassium et de vitamine C. C'est un légume rafraîchissant, diurétique, dépuratif de même qu'un doux calmant.*

*VOIR PHOTO PAGE 66*

# Salade de germes de soja WW.

## Un précieux secret de l'Orient

| |
|---|
| 500 ml (2 t) de soja germé* (voir p. 56) |
| 30 ml (2 c. à s.) de graines de sésame grillées |
| 1 poivron rouge coupé en dés |
| 1 laitue frisée déchiquetée ou des épinards |
| 2 oignons verts (échalotes) émincés |
| 1 courgette (zucchini) coupée en dés |
| 1 branche de céleri |
| 1 gousse d'ail hachée |
| 15 ml (1 c. à s.) de gingembre frais râpé |
| Coriandre fraîche ou séchée, au goût |

**4 À 6 PORTIONS**
**PRÉPARATION : 15 MINUTES (PRÉVOIR D'AVANCE LA GERMINATION – ENVIRON 3 JOURS)**

↬ Mélanger tous les ingrédients et les arroser avec la sauce au soja (voir p. 56).

↬ N.B. : Graines de sésame grillées : Faire griller les graines de sésame à feu moyen dans un poêlon antiadhésif.

*Parmi toutes les légumineuses, c'est le haricot de soja qui est le plus nourrissant. Il constitue une excellente source de protéines complètes et d'acides aminés essentiels. Selon les études, le haricot de soja contribuerait à diminuer les risques de cancer du côlon et à favoriser l'équilibre du cholestérol sanguin.*

*Il est préférable, pour une meilleure assimilation, de faire cuire les germes de soja. Pour ce faire, les recouvrir d'eau, porter à ébullition et laisser mijoter de dix à quinze minutes.

# Légumes marinés W|W

## *En hors-d'œuvre ou en salade*

| |
|---|
| 1/2 petit chou-fleur |
| 1/2 bouquet de brocoli |
| 1/2 poivron vert tranché mince |
| 1 à 2 carottes coupées en bâtonnets très fins |
| 5 à 6 champignons tranchés |
| 1 courgette (zucchini) coupée en bâtonnets |
| 250 ml (1 t) de tomates cerises entières ou plus |
| 1 branche de céleri coupée en bâtonnets |
| 1/2 oignon espagnol tranché mince |
| 5 ml (1 c. à thé) de graines de céleri (facultatif) |
| 190 ml (3/4 t) de vinaigrette française ou italienne *low calories* (voir p. 52) |

**4 À 6 PORTIONS**
**PRÉPARATION : 25 MINUTES – MARINER 12 HEURES**

↬ Séparer les fleurs de brocoli et de chou-fleur en petites bouchées. Les tiges de brocoli peuvent être pelées et coupées finement. Déposer tous les légumes dans un grand plat hermétique. Verser la vinaigrette sur les légumes. Fermer le contenant et bien le secouer pour mélanger la vinaigrette et les légumes. Réfrigérer pendant au moins 12 heures en retournant le contenant de temps à autre.

*Cette recette fait fureur…*

*Servir comme hors-d'œuvre ou avec les salades et les plats de résistance.*

*Riche en vitamines A, B6, et C, de même qu'en fer et en potassium, cette combinaison d'aliments contient beaucoup de nutriments qui aident à prévenir les cancers.*

# Festin de carottes et de panais (ami dont sucs

*Un savoureux plat d'accompagnement !*

| |
|---|
| 1 gros panais coupé en rondelles |
| ou 1/2 petit navet coupé en cubes |
| 3 grosses carottes coupées en rondelles |
| 1/2 oignon espagnol haché |
| 1 petit poivron vert |
| 175 ml (2/3 t) de sauce aux tomates sans sucre |
| (en conserve ou fraîche) |
| 30 ml (2 c. à s.) d'huile de soja ou autre |
| 125 ml (1/2 t) de boisson de soja |
| 15 ml (1 c. à s.) de basilic frais ou séché |
| Sel de mer aromatique |
| Poivre de cayenne |

**4 PORTIONS**
**PRÉPARATION :  15 MINUTES**
**CUISSON :  10 MINUTES**

↦ Faire cuire les rondelles de panais ou les cubes de navet et les rondelles de carottes à la marguerite (ou cuire dans un peu d'eau et égoutter).  Ces légumes doivent demeurer croquants.  Ajouter le reste des ingrédients et porter à ébullition.  Fermer le feu et laisser reposer.

*Ces légumes se dégustent chauds ou froids, sur du riz, du couscous, un lit de laitue et d'asperges…*

*La carotte cuite est une excellente source de vitamines A et B6 ainsi que de potassium, de magnésium et de carotène.  Le panais aussi est riche en vitamines et en minéraux.  Je l'utilise pour son action de détoxication de même que diurétique.  Comme le navet, il est aussi efficace contre l'arthrite et le rhumatisme.  On peut facilement passer ces légumes à l'extracteur et profiter de leurs multiples vertus thérapeutiques.*

# Salade de petits pois verts et de maïs Nom

*Haute en couleurs !*

250 ml (1 t) de pois verts, frais ou surgelés

750 ml (3 t) de maïs, frais ou surgelé

3 pommes de terre moyennes coupées en cubes

1/2 bloc de tofu (225 g ou 8 oz) coupé en dés

30 ml (2 c. à s.) de tamari

15 ml (1 c. à s.) d'huile de soja ou autre

3 oignons verts (échalotes) émincés

1/2 poivron vert haché

1/2 poivron rouge haché

1 branche de céleri émincée

5 ml (1 c. à thé) de cari

5 ml (1 c. à thé) d'estragon

45 ml (3 c. à s.) d'huile de soja ou autre

45 ml (3 c. à s.) de mayonnaise au tofu ou autre

65 ml (1/4 t) de boisson de soja

**4 À 6 PORTIONS**
**PRÉPARATION : 20 MINUTES**
**CUISSON : 5 À 10 MINUTES**

Cuire légèrement les pois verts, le maïs et les pommes de terre en cubes. Réserver. Faire dorer le tofu dans un poêlon antiadhésif; à la fin de la cuisson, ajouter le tamari et 15 ml (1 c. à s.) d'huile. Verser le tofu sur le mélange de légumes cuits et ajouter le reste des ingrédients.

*Délicieuse et nutritive, cette salade se déguste*
*aussi bien chaude que froide.*

# Salade de haricots rouges et de croustilles de maïs

## Olé ! Olé !

*W/W.*

| |
|---|
| 500 ml (2 t) de haricots rouges cuits |
| 1/2 bloc de tofu (225 g ou 8 oz) coupé en dés |
| 30 ml (2 c. à s.) de tamari |
| 5 ml (1 c. à thé) de poudre de cari |
| 1 laitue frisée ou romaine déchiquetée |
| 2 tomates coupées en dés |
| 1 courgette (zucchini) coupée en dés |
| 1/2 oignon espagnol (ou moins) haché |
| 1 sac de croustilles de maïs (plus ou moins, au goût) *ou galette riz au sésame.* |
| Sel de mer aromatique (facultatif) |
| Poivre de cayenne ou poudre de chili |
| Vinaigrette française (voir p. 52) *ou italienne.* |

**4 À 6 PORTIONS**
**PRÉPARATION : 20 MINUTES**
**CUISSON PRÉALABLE : 2 HEURES**

- Déposer les haricots rouges cuits dans un bol. Faire dorer le tofu dans un poêlon légèrement huilé et, à la toute fin de la cuisson, ajouter le reste des ingrédients à l'exception des croustilles de maïs. Arroser de vinaigrette française.

- Au moment de servir, ajouter les croustilles de maïs et bien mélanger le tout.

*Son petit goût piquant est fort agréable.*

*Remarque : Je fais habituellement cuire une bonne quantité de haricots rouges que je congèle ensuite par petites portions. On peut les conserver au congélateur pendant trois mois. Je remplace parfois les croustilles de maïs par des morceaux de galettes de riz au sésame.*

*Colorée, croquante, et délicieuse !*

# Salade de millet, de maïs et de tofu *Non*

*Toute en douceur*

500 ml (2 t) de millet cuit

1 bloc de tofu (450 g ou 16 oz) râpé

45 ml (3 c. à s.) de tamari

15 ml (1 c. à s.) d'huile de soja ou autre

500 ml (2 t) de maïs frais ou surgelé (cuire 5 minutes)

1 branche de céleri émincée

2 oignons verts (échalotes) hachés

1/2 poivron rouge haché

45 ml (3 c. à s.) de tamari

45 ml (3 c. à s.) d'huile de tournesol ou de soja

Le jus de 1/2 citron

5 ml (1 c. à thé) de moutarde de Dijon

Fines herbes au goût

Poivre de cayenne

**4 À 6 PORTIONS**
**PRÉPARATION : 25 MINUTES**
**CUISSON PRÉALABLE : 20 MINUTES**

– Mettre le millet cuit dans un grand bol. Faire dorer le tofu dans un poêlon antiadhésif, et à la fin, ajouter 45 ml (3 c. à s.) de tamari et 15 ml (1 c. à s.) d'huile. Verser le tofu sur le millet cuit et ajouter le reste des ingrédients.

– Variante : Le millet peut être remplacé par du riz, du quinoa, du sarrasin, des pâtes alimentaires ou du couscous. Le maïs peut être remplacé par des pois verts.

*Riche en fibres, ce repas est complet du point de vue protéique.*

N.B. : 250 ml (1 t) de millet non cuit donne environ 500 ml (2t) de millet cuit. Le millet se cuit comme le riz (environ 20 minutes).

# Les sauces à salade,
## les vinaigrettes et les trempettes

# Vinaigrette à la française w/w

*Tellement savoureuse*

*hell man's mayo + yogourt nature*

| 85 ml (1/3 t) de mayonnaise au tofu (voir p. 55) ou autre |
| :---: |
| 250 ml (1 t) de sauce aux tomates sans sucre *hunt.* (en conserve) |
| Le jus de 1/2 citron |
| 30 ml (2 c. à s.) de jus de pomme congelé ou d'ananas |
| 15 ml (1 c. à s.) de tamari |
| 5 ml (1 c. à thé) de moutarde de Dijon |
| 2 ml (1/2 c. à thé) de graines de céleri |
| 5 ml (1 c. à thé) de paprika |
| 1 gousse d'ail |
| Sel de mer aromatique |
| 125 ml (1/2 t) d'huile de soja ou autre |

**590 ML**
**PRÉPARATION : 5 MINUTES**

☞ Passer tous les ingrédients au mélangeur.

*Se conserve une semaine au réfrigérateur.*

*« DÉ-LEC-TA-BLE »*
*Une excellente variante de vinaigrette à salade. Complète bien les salades vertes, d'épinards, de chou…*

# Vinaigrette à l'italienne

*Traditionnelle et de première qualité* ○ K

| |
|---|
| 250 ml (1 t) d'huile de soja ou autre ·? |
| Le jus de 1/2 citron ou plus |
| 5 ml (1 c. à thé) de moutarde sèche |
| 5 ml (1 c. à thé) de miel (facultatif) ˙ |
| 30 ml (2 c. à s.) d'oignons séchés |
| 2 gousses d'ail |
| 2 ml (1/2 c. à thé) de paprika |
| Pincée de thym |
| Pincée d'origan |
| Sel de mer aromatique |
| Poivre de cayenne |

**365 ML**
**PRÉPARATION : 5 MINUTES**

∽ Passer tous les ingrédients au mélangeur.

*Une vinaigrette vraiment surprenante. Elle assaisonne aussi bien les légumes en marinade que les salades… Vraiment passe-partout !*

# Vinaigrette grande-forme
## *Miam-miam !* OK

| |
|---|
| 125 ml (1/2 t) de boisson de soja *ou d'amande* |
| 125 ml (1/2 t) d'huile de soja 9 |
| 250 ml (1 t) de tofu crémeux (vendu en petite boîte) |
| Jus de 1 citron |
| 5 ml (1 c. à thé) de moutarde de Dijon |
| 5 ml (1 c. à thé) de prunes salées (umeboshi) ~ 9 |
| 5 ml (1 c. à thé) de tahini (beurre de sésame) |
| 2 gousses d'ail |
| Fines herbes (au goût) |
| Sel de mer aromatique |
| Poivre de cayenne |

**585 ML**
**PRÉPARATION : 5 MINUTES**

↝ Verser tous les ingrédients dans le mélangeur et brasser à grande vitesse.

↝ Se conserve une semaine au réfrigérateur.

*Un petit goût de revenez-y !*

*Des valeurs nutritives importantes qui complètent bien tous les genres de salades.*

# Mayonnaise au tofu

*Toujours idéale !*    w/w

250 ml (1 t) de tofu crémeux (vendu en petite boîte)

125 ml (1/2 t) d'huile de soja ou autre  ?

Le jus de 1/2 citron

5 ml (1 c. à thé) de moutarde de Dijon

15 ml (1 c. à s.) de tahini (beurre de sésame)

15 ml (1 c. à s.) de jus de pomme concentré congelé,
non sucré

5 ml (1 c. à thé) de basilic

5 ml (1 c. à thé) de sel de mer aromatique

0,5 ml (1/8 c. à thé) de poivre de cayenne

**485 ML**
**PRÉPARATION : 5 MINUTES**

- Déposer tous les ingrédients dans le mélangeur. Brasser à grande vitesse pendant 1 minute.

- Réfrigérer. Se conserve pendant une semaine.

*Une mayonnaise sans cholestérol, d'une qualité exceptionnelle qui remplace bien celle à base d'œufs.*

# Sauce au soja

*Un goût qui plaît à tous !*

| |
|---|
| 15 ml (1 c. à s.) d'huile de sésame |
| 250 ml (1 t) d'huile de soja ou autre |
| 65 ml (1/4 t) de tamari |
| Jus de 1/2 citron |
| 2 gousses d'ail |
| Poivre de cayenne |

**400 ML**
**PRÉPARATION : 3 MINUTES**

&infin; Mettre tous les ingrédients dans le mélangeur et bien brasser.

&infin; Se conserve un mois au réfrigérateur.

*J'en raffole… Vite faite et d'un goût raffiné, elle assaisonne bien tous les légumes crus ou cuits, les salades vertes, les pommes de terre rôties, les salades chinoises et les pâtes alimentaires.*

# Trempette à l'oignon w/w

*Cette trempette rehausse agréablement nos bons légumes*

| |
|---|
| 190 ml (3/4 t) de tofu crémeux (vendu en petite boîte) |
| 85 ml (1/3 t) de mayonnaise au tofu (voir p. 55) ou autre *hellman's + m.g* |
| *+ yogourt nature* |
| 65 ml (1/4 t) d'oignons séchés |
| 1 oignon vert (échalote) |
| Le jus de 1/2 citron |
| 15 ml (1 c. à s.) de moutarde en poudre |
| 5 ml (1 c. à thé) de basilic |
| Sel de mer aromatique |
| Poivre de cayenne |
| 65 ml (1/4 t) d'oignon frais, haché finement |

**550 ML**
**PRÉPARATION : 5 MINUTES**

- Déposer tous les ingrédients dans le mélangeur à l'exception des 65 ml (1/4 t) d'oignon frais haché finement.

*Si, comme moi, vous aimez les oignons, cette trempette vous plaira à coup sûr. Je m'en sers avec les entrées, les canapés, les croustilles, les légumes crus ou cuits…*

# Trempette de tofu, persil et prunes salées

*Vite faite et délicieuse*

| |
|---|
| 125 ml (1/2 t) de tofu crémeux (vendu en petite boîte) |
| 65 ml (1/4 t) de persil haché |
| 65 ml (1/4 t) de mayonnaise au tofu ou autre |
| 30 ml (2 c. à s.) de tahini (beurre de sésame) |
| 15 ml (1 c. à s.) de prunes salées (umeboshi) |
| 1 oignon vert |
| Poivre de cayenne |

**365 ML**
**PRÉPARATION : 5 MINUTES**

- Déposer tous les ingrédients dans le mélangeur et brasser à grande vitesse.

- Variante : Pour un goût différent, ajouter 2 ml (1/2 c. à thé) de moutarde de Dijon.

*Quand on aime apprivoiser de nouvelles saveurs !*

*C'est un mélange que j'apprécie beaucoup lorsque je me sens fatiguée ou encore lorsque j'ai un travail plus intense à accomplir.*

# Sauce au tofu et au sésame

*Très haute valeur nutritive*

125 ml (1/2 t) de tofu crémeux (vendu en petite boîte)

65 ml (1/4 t) d'huile d'olive

65 ml (1/4 t) d'huile de carthame ou de tournesol

15 ml (1 c. à s.) d'huile de sésame

30 ml (2 c. à s.) de tahini (beurre de sésame)

65 ml (1/4 t) d'eau

Le jus de 1/2 citron

5 ml (1 c. à thé) de prunes salées (umeboshi)

30 ml (2 c. à s.) d'oignons séchés

Sel de mer aromatique

Poivre de cayenne

**465 ML**
**PRÉPARATION : 5 MINUTES**

&#8766; Passer tous les ingrédients au mélangeur.

*Cette sauce à salade, servie sur les légumes crus ou cuits, est un véritable tonique pour le foie. Riche en calcium, elle favorise la digestion et a une action légèrement laxative.*

*Les tardinades au tofu
comme
garniture à sandwichs ou à canapés
ou encore avec des crudités*

# Tartinade au tofu et aux prunes salées

*Bon, bon, bon !*

| |
|---|
| 1/2 bloc de tofu (225 g ou 8 oz) |
| 85 ml (1/3 t) de mayonnaise au tofu ou autre |
| Jus de 1/2 citron |
| 15 ml (1 c. à s.) de prunes salées (umeboshi) |
| 30 ml (2 c. à s.) de pâte de tomates |
| 1 ml (1/4 c. à thé) de graines de céleri |
| 2 ml (1/2 c. à thé) de cumin |
| 5 ml (1 c. à thé) de basilic ou d'estragon |
| Pincée de poivre de cayenne |

**440 ML**
**PRÉPARATION : 5 MINUTES**

&#x21ba; Mettre tous les ingrédients dans le robot culinaire ou le mélangeur et brasser jusqu'à consistance crémeuse.

&#x21ba; Remarque : On peut aussi écraser le tofu à la fourchette et bien mélanger tous les ingrédients.

&#x21ba; Servir dans des pains pita avec de la laitue, de la luzerne, des carottes ou des betteraves râpées.

*À essayer absolument en tartinade ou en trempette !*

*Cette tartinade très alcalinisante, facile à digérer, aide à combattre la fatigue.*

# Tartinade à l'avocat, au zucchini et au tofu

## Si facile à digérer

W/W

| |
|---|
| 1 avocat mûr pelé et dénoyauté |
| 65 ml (1/4 t) de mayonnaise au tofu (voir p. 55) |
| ou autre |
| 125 ml (1/2 t) de tofu crémeux (vendu en petite boîte) |
| 1 courgette (zucchini) moyenne |
| 15 ml (1 c. à s.) de pâte de tomates. |
| 5 ml (1 c. à thé) de moutarde de Dijon (facultatif) |
| 15 ml (1 c. à s.) de basilic frais ou séché |
| 30 ml (2 c. à s.) d'oignons séchés |
| Sel de mer aromatique |
| Poivre de cayenne |

**750 ML**
**PRÉPARATION : 10 MINUTES**

❧ Mettre tous les ingrédients au mélangeur et fouetter jusqu'à
consistance onctueuse.

*Si vous aimez la douceur, vous apprécierez ce mélange. Servir en
sandwich, sur des canapés, des biscottes ou comme trempette.*

*Tonifiante pour l'ensemble de l'organisme, cette tartinade favorise une
bonne élimination. Elle renforce également le système immunitaire et
aide à prévenir les rhumes et les grippes.*

# Tartinade au concombre et au tofu

*Très diurétique*

W/W

| |
|---|
| 1 petit concombre anglais (ou la moitié d'un gros) |
| 1/2 bloc de tofu (225 g ou 8 oz) |
| 85 ml (1/3 t) de mayonnaise au tofu (voir p. 55) ou autre |
| 5 ml (1 c. à thé) de moutarde de Dijon |
| 15 ml (1 c. à s.) d'aneth ou de basilic |
| 1 poignée de persil ou 125 ml (1/2 t), au goût |
| Sel de mer aromatique |
| Poivre de cayenne |

**875 ML**
**PRÉPARATION : 5 MINUTES**

✎ Bien laver le concombre avec une brosse. Mettre tous les ingrédients dans le robot culinaire et mélanger jusqu'à consistance onctueuse.

*ou*

✎ Râper finement le concombre, écraser le tofu à la fourchette et bien mélanger avec le reste des ingrédients.

*Un goût frais et léger.*

*Riche en vitamines, cette tartinade se digère facilement et a une action légèrement diurétique.*

• Beurre de tofu (p. 72) • Terrine à l'oignon et au seitan (p. 141)
• Quiche à la courge Butternut et au seitan (p.148)

• Concombre à la crème au tofu et au fenouil ( p. 44)
• Sauté de légumes et de seitan à l'orientale (p. 136)
• Soupe à la citrouille (p.78)

- Pizza vite faite aux champignons et au tofu (p.86)
- Casserole de betteraves et de seitan (p.140)

• Tofu fouetté aux bleuets et aux poires (p. 36) • Tofu fouetté aux pêches (p. 37) • Tofu fouetté aux fraises et aux abricots (p. 32) • Barres aux arachides et au tofu (p. 117) • Biscuits pause-tisane (p. 114)

# Tartinade au tofu et à la pâte de tomates

*Une savoureuse tartinade rosée* w/w

| |
|---|
| 1/2 bloc de tofu (225 g ou 8 oz) |
| 1/2 poivron rouge ou vert |
| 30 ml (2 c. à s.) de pâte de tomates |
| 30 ml (2 c. à s.) de tamari |
| 85 ml (1/3 t) d'oignons hachés |
| 65 ml (1/4 t) de mayonnaise au tofu ou autre |
| 15 ml (1 c. à s.) de basilic |
| 5 ml (1 c. à thé) d'origan ou d'estragon |
| 2 gousses d'ail pressées |
| Sel de mer si nécessaire ou un peu plus de tamari |
| Poivre de cayenne |

**485 ML**
**PRÉPARATION : 5 MINUTES**

❧ Écraser le tofu à la fourchette et ajouter tous les ingrédients ou passer le tout au robot culinaire.

❧ Pour une texture plus crémeuse ajouter 15 ml (1 c. à s.) d'huile de soja ou autre, ou un peu plus de mayonnaise et ajuster les assaisonnements.

*J'apprécie davantage cette tartinade sur des légumes crus : sur des branches de céleri, sur des lamelles de poivrons verts ou des champignons. Également excellente avec des croustilles, des biscottes ou dans des pains pita…*

*Une abondance de vitamines et de minéraux favorisent un bon fonctionnement de l'organisme dans son ensemble.*

# Pâté-végé au tofu

*Un substitut de viande*

| |
|---|
| 1/2 bloc de tofu (225 g ou 8 oz) |
| 250 ml (1 t) de graines de tournesol |
| 65 ml (1/4 t) de graines de sésame |
| 85 ml (1/3 t) de levure alimentaire |
| 125 ml (1/2 t) de farine de maïs, de blé, de sarrasin ou de riz |
| 125 ml (1/2 t) d'huile de tournesol ou autre |
| 2 oignons hachés finement |
| 2 grosses pommes de terre râpées |
| 250 ml (1 t) d'eau |
| 85 ml (1/3 t) de tamari |
| 2 à 3 gousses d'ail |
| 65 ml (1/4 t) de légumes séchés ou d'oignons séchés |
| 10 ml (2 c. à thé) de thym en feuilles |
| 15 ml (3 c. à thé) de basilic en feuilles |
| Poivre de cayenne au goût |

**6 À 8 PORTIONS**
**PRÉPARATION : 15 MINUTES**
**CUISSON : 35 MINUTES**

➴ Mettre au robot culinaire le tofu, les graines de tournesol et de sésame, la levure alimentaire et la farine. Bien mélanger. Ajouter l'huile et continuer de mélanger jusqu'à l'obtention d'un mélange granuleux. Retirer du robot et ajouter le reste des ingrédients. Verser dans un moule de 23 cm X 30 cm (9 po. X 12 po.) et cuire à 180°C (350°F) durant 35 minutes.

*Savoureux et nourrissant, ce pâté peut être congelé pour une période de 2 à 3 mois. Pour en conserver toute la texture, la saveur et la qualité, le décongeler au four à 120 °C (250 °F). Servir avec une salade, sur des canapés, en sandwichs, avec du pain pita…*
*Riche en minéraux, il aide à augmenter notre résistance aux infections.*

# Tartinade au tofu et aux noix

## Une excellente source de protéines

| | |
|---|---|
| 1/2 bloc de tofu (225 g ou 8 oz) | |
| 85 ml (1/3 t) de noix de Grenoble (15) aman de. | |
| 85 ml (1/3 t) de graines de tournesol | |
| 15 ml (1 c. à s.) de tahini (beurre de sésame) | |
| 2 gousses d'ail | |
| 45 ml (3 c. à s.) de tamari | |
| 30 ml (2 c. à s.) d'huile de soja ou autre | |

**525 ML**
**PRÉPARATION : 5 MINUTES**

⌐ Mettre tous les ingrédients dans le robot culinaire et brasser jusqu'à consistance crémeuse.

*Vraiment délicieuse. J'aime sa texture onctueuse qui ressemble à un pâté. Idéale pour des sandwichs pita, avec un peu de moutarde de Dijon et des carottes râpées, de la luzerne et de fines rondelles de radis.*

*Très riche en protéines, en vitamines et en minéraux, cette tartinade constitue un excellent substitut de viande.*

# Beurre de tofu

*Surprise ! Simple et rapide.*

| |
|---|
| 45 ml (3 c. à s.) d'huile de soja ou de tournesol |
| 1/2 bloc de tofu (225 g ou 8 oz) coupé en morceaux |
| 65 ml (1/4 t) d'eau |
| 2 oignons verts (échalotes) |
| 30 ml (2 c. à s.) de tahini (beurre de sésame) |
| 45 ml (3 c. à s.) de tamari |
| 5 ml (1 c. à thé) d'umeboshi (prunes salées) |

**525 ML**
**PRÉPARATION : 15 MINUTES**
**CUISSON : 5 MINUTES**

❧ Passer tous les ingrédients au mélangeur et fouetter jusqu'à consistance crémeuse.

❧ Remarque : Le beurre de tofu se conserve 3 à 4 jours au réfrigérateur.

❧ Variante : Servir sur du pain croûté, sur des canapés ou en sandwichs avec de la luzerne et des carottes râpées.

*Une merveille de la nature.*

*On retrouve dans ce mets simple, tous les éléments nutritifs nécessaires au bon équilibre de la santé. Ce beurre antiacide est aussi énergisant pour le système sanguin et l'organisme dans son ensemble.*

*VOIR PHOTO PAGE 65*

# Les soupes et les potages

# Potage « grande forme »

*Adieu fatigue !* W/W

2 carottes coupées en cubes

1/2 petit navet coupé en cubes

1 branche de céleri émincée

1 betterave coupée en cubes

1 oignon émincé

2 gousses d'ail

500 ml (2 t) de chou coupé finement

15 ml (1 c. à s.) de gingembre râpé ou 5 ml (1 c. à thé) de poudre de gingembre

1 litre (4 t) d'eau

15 ml (1 c. à s.) de concentré de légumes

1 boîte de sauce aux tomates de 398 ml (14 oz) ou de tomates

1/2 bloc de tofu (225 g ou 8 oz) sauté passe-partout (voir p. 94)

15 ml (1 c. à s.) de tahini (beurre de sésame)

5 ml (1 c. à thé) de prunes salées (umeboshi)

45 ml (3 c. à s.) de tamari

30 ml (2 c. à s.) d'huile de soja ou autre

Poivre de cayenne

Basilic au goût

**2 1/4 LITRES (9 À 10 PORTIONS)**
**PRÉPARATION : 20 MINUTES**
**CUISSON : 20 MINUTES**

↝ Combiner les 11 premiers ingrédients dans une grande casserole, porter à ébullition, couvrir à demi et laisser mijoter doucement pendant environ 20 minutes. Ajouter le reste des ingrédients et passer au mélangeur. Si la consistance est trop épaisse, ajouter un peu d'eau et vérifier les assaisonnements.

↝ Si vous préférez une soupe, il suffit de sauter l'étape du mélangeur.

*À la fois énergétique et doux, ce potage (ou cette soupe) peut servir de repas complet et léger si vous l'accompagnez de pain au levain, par exemple.*

# Potage à la chinoise w/w.

## Une abondance de minéraux

| |
|---|
| 1 sac d'épinards frais de 284 g (10 oz) |
| 1 branche de céleri émincée |
| 1 oignon émincé |
| 15 ml (1 c. à s.) de gingembre râpé |
| 875 ml (3 1/2 t) d'eau |
| 1/2 bloc de tofu (225 g ou 8 oz) émietté |
| 30 ml (2 c. à s.) de tapioca moulu |
| 65 ml (1/4 t) d'amandes (15) |
| 15 ml (1 c. à s.) d'huile de sésame ou autre |
| 45 ml (3 c. à s.) de tamari |
| Sel de mer aromatique |
| Poivre de cayenne |
| 8 à 10 champignons émincés ou plus (grillés dans un poêlon avec ou sans huile) |

**1 1/2 LITRE (5 À 6 PORTIONS)**
**PRÉPARATION : 15 MINUTES**
**CUISSON : 10 MINUTES**

∽ Laver les épinards et les déchiqueter. Cuire le céleri, l'oignon et le gingembre dans l'eau pendant 5 à 6 minutes. Mettre au mélangeur avec le reste des ingrédients à l'exception des champignons. Ajouter les champignons et cuire à nouveau pendant 2 à 3 minutes.

∽ Savourez tel quel ou avec des biscottes ou une bonne galette de sarrasin.

*Ce potage épais et fameux peut suffire pour un repas léger et équilibré. Il constitue une bonne source de potassium, de calcium, de magnésium et de fer.*

# Potage aux poireaux

*Un tonique santé, léger et nourrissant*

| |
|---|
| 2 poireaux moyens |
| 1 pomme de terre sucrée ou ordinaire |
| 1 courgette (zucchini) |
| 875 ml (3 1/2 t) d'eau |
| 15 ml (1 c. à s.) de concentré de légumes ou 2 cubes de soja |
| 15 ml (1 c. à s.) de tapioca moulu |
| 500 ml (2 t) de boisson de soja |
| 175 ml (2/3 t) de tofu crémeux (vendu en petite boîte) |
| 30 ml (2 c. à s.) d'huile de soja ou autre |
| Fines herbes au goût ou un peu de coriandre |
| Sel de mer aromatique |
| Poivre de cayenne |

*Garniture :*
Graines de tournesol grillées au tamari ou
des noix de pin (facultatif)

**3 LITRES (12 PORTIONS)**
**PRÉPARATION : 15 MINUTES**
**CUISSON : 20 MINUTES**

↔ Couper les légumes, ajouter l'eau et le concentré de légumes et porter à ébullition. Cuire à feu moyen pendant environ 15 minutes. Passer au mélangeur avec le reste des ingrédients. Réchauffer et servir avec une garniture de graines de tournesol grillées au tamari ou des noix de pin.

↔ N.B. : Il est important de bien assaisonner ce potage.

↔ Servir avec des croûtons, des croustilles de maïs, des biscottes ou du bon pain.

*Au rendez-vous… un joyeux festin de saveurs et un bouquet de santé.*
*Ce potage est riche en vitamines et en minéraux. Il possède une action antiseptique et tonifiante pour l'organisme.*

# Soupe au sarrasin

*Un excellent mariage de légumes et de céréales*

125 ml (1/2 t) de sarrasin

1 litre (4 t) d'eau

30 ml (2 c. à s.) de légumes séchés

5 ml (1 c. à thé) de concentré de légumes ou 1 cube de soja

1 oignon émincé

2 gousses d'ail émincées

1 branche de céleri hachée

1 petite pomme de terre coupée en cubes

1 carotte coupée en cubes

175 ml (2/3 t) de rutabaga coupé en cubes

500 ml (2 t) de tomates en conserve

30 ml (2 c. à s.) d'huile de soja ou autre

45 ml (3 c. à s.) de tamari

Sel de mer (facultatif)

Poivre de cayenne

Ciboulette ou persil haché pour garnir

**2 LITRES (7 À 8 PORTIONS)**
**PRÉPARATION : 10 MINUTES**
**CUISSON : 20 MINUTES**

Combiner les 11 premiers ingrédients dans une grande casserole, brasser et porter à ébullition. Couvrir à demi et laisser mijoter doucement pendant environ 20 minutes en remuant de temps en temps. Ajouter le reste des ingrédients, mélanger. Au moment de servir, garnir chaque bol de soupe de persil ou de ciboulette.

*Vraiment exquise !*

*Le sarrasin est une céréale précieuse pour l'ensemble de notre organisme : une source abondante de vitamines, de minéraux, d'acides aminés et de rutine… Cette soupe est hautement digeste, nourrissante et tout à fait réconfortante.*

# Soupe à la citrouille

## Une couleur chaude de santé et d'automne

| |
|---|
| 1 1/2 litre (6 t) de citrouille pelée et coupée en dés |
| 1 oignon coupé |
| 1 branche de céleri émincée |
| 5 ml (1 c. à thé) de concentré de légumes |
| 500 ml (2 t) d'eau |
| 500 ml (2 t) de boisson de soja ou autre |
| 30 ml (2 c. à s.) d'huile de soja ou autre |
| 5 ml (1 c. à thé) de sel de mer |
| 5 ml (1 c. à thé) de muscade |
| 5 ml (1 c. à thé) de cannelle |
| Soupçon de poivre de cayenne |

**1 1/2 LITRE (5 À 6 PORTIONS)**
**PRÉPARATION : 20 MINUTES**
**CUISSON : 15 MINUTES**

- Mettre la citrouille, l'oignon, le céleri, le concentré de légumes et l'eau dans une casserole et porter à ébullition. Cuire à feu doux pendant 10 minutes. Ajouter le reste des ingrédients et continuer la cuisson environ 5 minutes. Verser dans le mélangeur et bien brasser.

- À servir avec de bons croûtons.

*Une grande douceur pour le tube digestif et un excellent antiacide.*

*Choisir une citrouille qui brille par sa pleine beauté et par sa maturité. La citrouille est une excellente source de vitamine A et de potassium.*

*Variante : La citrouille peut être remplacée par de la courge Butternut, potiron, Buttercup, etc.*

*VOIR PHOTO PAGE 66*

# Soupe mexicaine aux haricots noirs

*Riche en nutriments et en saveur* W\W.

250 ml (1 t) de haricots noirs .

1 1/4 litre (5 t) d'eau

65 ml (1/4 t) de légumes séchés

5 ml (1 c. à thé) de concentré de légumes

Un morceau d'algue Kombu ou 2 feuilles de Laurier

1 poivron rouge haché

1 oignon haché

1 grosse carotte coupée en cubes

500 ml (2 t) de haricots verts frais ou surgelés, coupés

1 boîte de tomates en conserve sans sucre (540 ml, 19 oz)

30 ml (2 c. à s.) d'huile de soja ou autre

45 ml (3 c. à s.) de tamari

Poivre de cayenne ou salsa au goût

5 ml (1 c. à thé) d'origan

5 ml (1 c. à thé) de basilic

*Garniture :*

Croûtons ou croustilles de maïs   galette de riz

1/2 bloc de tofu (225 g ou 8 oz) sauté passe-partout
(voir p. 94)

**2 LITRES (7 À 8 PORTIONS)**
**PRÉPARATION : 15 MINUTES**
**TREMPAGE : 1 HEURE**
**CUISSON : 20 MINUTES OU PLUS**

Laver les haricots noirs et les mettre dans une grande casserole. Ajouter 750 ml (3 t) d'eau et porter à ébullition pour 5 minutes. Fermer le feu, couvrir la casserole et laisser reposer une heure. Jeter l'eau et ajouter à nouveau 1 1/4 litre (5 t) d'eau, les légumes séchés, le concentré de légumes, l'algue ou les feuilles de Laurier, les légumes frais et les tomates. Couvrir, porter à ébullition et faire cuire pendant environ 20 minutes. Ajouter le reste des ingrédients. Verser dans des bols et garnir de croûtons ou de croustilles et de tofu.

*Une soupe consistante ! Accompagnez-la simplement d'un petit pain et elle se transforme en un repas complet.*

# Le tofu

## Plats de résistance au tofu

« Le tofu, un aliment vraiment riche en protéines. »

*Le tofu est très nourrissant.  Il contient du fer, du calcium, du magnésium, du phosphore et de la  vitamine B6.*

*L'idéal est de le servir accompagné de légumes verts et de produits céréaliers.*

*Il ne contient aucun cholestérol et peut facilement remplacer la viande ou le fromage.*

# Les repas de tofu

# Saucisses au tofu

*Un tour de magie-santé pour les amateurs de saucisses*

| |
|---|
| 1 bloc de tofu (450g ou 16 oz) |
| 10 ml (2 c. à thé) de vinaigre de cidre |
| 125 ml (1/2 t) de protéine de soja texturée |
| 125 ml (1/2 t) de noix de Grenoble ou pacanes |
| 65 ml (1/4 t) de farine de gluten |
| 65 ml (1/4 t) de levure alimentaire |
| 250 ml (1 t) de flocons d'avoine |
| 30 ml (2 c. à s.) de betterave crue, râpée |
| 15 ml (1 c. à s.) de poudre de chili |
| une pincée de cumin |
| 15 ml (1 c. à s.) d'oignons séchés en flocons |
| 15 ml (1 c. à s.) d'ail séché granulé |
| 5 ml (1 c. à thé) d'origan |
| 5 ml (1 c. à thé) de paprika |
| 65 ml (1/4 t) d'huile de soja ou autre |
| 45 ml (3 c. à s.) de tamari |
| 85 ml (1/3 t) de boisson de soja |
| 45 ml (3 c. à s.) de tamari |
| Sel de mer aromatique et poivre de cayenne |

**12 SAUCISSES**
**PRÉPARATION : 15 MINUTES**
**LAISSER REPOSER 1 HEURE**
**CUISSON : 15 MINUTES**

Mettre tous les ingrédients dans le robot culinaire* et bien mélanger. La préparation est très épaisse. Donc il est préférable d'arrêter le robot de temps à autre et d'utiliser une spatule pour mieux mélanger le tout. Brasser jusqu'à consistance très lisse.

↬ Façonner les saucisses avec des quantités équivalentes au contenu d'une cuiller à crème glacée. Rouler les saucisses avec les mains sur une surface dure.

↬ Chauffer un poêlon et y ajouter un peu d'huile. Faire dorer les saucisses à feu doux.

↬ Servir avec du ketchup aux tomates dans des pains hot dog ou azim ou tout simplement avec une généreuse salade verte.

*Un repas riche en protéines ! En accompagnant ce mets de légumes verts, on favorise l'assimilation adéquate du fer de même que des vitamine C et du complexe B que contiennent ce mets.*

\* Si vous n'avez pas de robot culinaire, utilisez le mélangeur avec de petites quantités à la fois.

# Pizza vite faite aux champignons et au tofu
## Pour transformer l'ordinaire en extraordinaire W/w

250 ml (8 oz) de champignons émincés

15 ml (1 c. à s.) d'huile de tournesol ou autre

2 ml (1/2 c. à thé) de sel de mer aromatique

2 oignons verts (échalotes) hachés finement

85 ml (1/3 t) de farine de blé entier

65 ml (1/4 t) de persil frais, haché

85 ml (1/3 t) de tofu émietté ou
de fromage Gruyère râpé

375 ml (1 1/2 t) de boisson de soja

Sel de mer aromatique au goût

Poivre de cayenne

3 ou 4 pains pita ou un pain baguette grillé et coupé
sur le sens de la longueur

*Garniture :*
quartiers de tomate

fromage râpé (Gruyère ou mozzarella)

persil frais haché

**2 À 3 PORTIONS**
**PRÉPARATION : 12 MINUTES**
**CUISSON : 12 MINUTES**

⟜ Faire cuire les champignons légèrement dans l'huile.
Ajouter le sel de mer aromatique, les oignons verts
(échalotes) et la farine. Bien mélanger. Mettre le reste des
ingrédients à l'exception des pains et de la garniture. Bien
mélanger le tout et cuire en remuant jusqu'à l'obtention
d'une consistance épaisse : environ 5 minutes. Laisser
refroidir. Étendre le mélange de champignons sur les pains
et saupoudrer de fromage râpé.

- Mettre au four et passer sous le gril pour dorer en surveillant de près.

- Retirer et garnir de persil frais haché.

*Un délice qui plaît.*
*Une version facile d'une pizza traditionnelle.*

*Servir avec une généreuse salade verte.*

*Excellente source de protéines, de vitamines et de minéraux.*

*VOIR PHOTO PAGE 67*

# Tofu pané « Angélique »

*Honneur au tofu*

| |
|---|
| 1 bloc de tofu (450 g ou 16 oz) coupé en tranches de 0,5 cm (1/4 pouce) d'épaisseur |
| farine de pois chiches ou de blé entier |
| 175 ml (2/3 t) de boisson de soja |
| 65 ml (1/4 t) de tamari |
| 85 ml (1/3 t) de farine de pois chiches ou de blé entier |
| 30 ml (2 c. à s.) de levure alimentaire |
| 5 ml (1 c. à thé) de basilic |
| 10 ml (2 c. à thé) de tahini (beurre de sésame) |
| 2 ml (1/2 c. à thé) de curcuma |
| 5 ml (1 c. à thé) de poudre de gingembre |
| 15 ml (1 c. à s.) d'oignons séchés en flocons |
| Poivre de cayenne au goût |
| Chapelure (pain de blé entier grillé et broyé finement) |
| Huile de sésame, de soja ou d'olive |

**5 À 6 PORTIONS**
**PRÉPARATION : 10 MINUTES**
**LAISSER REPOSER 15 MINUTES**
**CUISSON : 15 MINUTES**

- Enfariner chaque tranche de tofu et laisser reposer 15 minutes.
- Mélanger le reste des ingrédients à l'exception de la chapelure et de l'huile.
- Passer chaque tranche de tofu dans cette pâte, puis dans la chapelure.
- Mettre un peu d'huile dans un poêlon et y faire dorer chaque tranche de tofu des deux côtés.
- Servir accompagné de légumes verts, de sauce au tamari et au gingembre (voir p. 90) ou encore d'une sauce béchamel (voir p. 100)

*Dé-lec-ta-ble !*

*Un repas sain et très stimulant qui se digère particulièrement bien.*

# Rôti de tofu et de seitan
## Nourrissant et alléchant

| |
|---|
| 175 ml (2/3 t) de sarrasin blanc, cuit ou germé |
| 1/2 bloc de tofu (225 g ou 8 oz) |
| 175 ml (2/3 t) de sauce aux tomates |
| 125 ml (1/2 t) de boisson de soja |
| 250 ml (1 t) de seitan |
| 1 oignon |
| 125 ml (1/2 t) de pacanes ou noix de Grenoble |
| 175 ml (2/3 t) de flocons d'avoine ou d'orge |
| 85 ml (1/3 t) de farine de gluten |
| 30 ml (2 c. à s.) d'huile de soja ou autre |
| 15 ml (1 c. à s.) de tahini (beurre de sésame) |
| 1/2 poivron vert haché finement |
| 1 courgette (zucchini) râpée |
| 45 ml (3 c. à s.) de tamari ou au goût |
| 2 ml (1/2 c. à thé) de thym |
| 2 ml (1/2 c. à thé) de muscade |
| une pincée de poivre de cayenne |

**5 À 6 PORTIONS**
**PRÉPARATION : 15 MINUTES**
**CUISSON : 35 MINUTES**

- Mettre les 11 premiers ingrédients au robot culinaire et mélanger jusqu'à l'obtention d'une pâte épaisse et légèrement granuleuse.
- Verser la préparation dans un bol et ajouter le reste des ingrédients.
- Huiler un moule à pain en pyrex et y verser le mélange.
- Cuire au four à 180 °C (350 °F) pendant 35 minutes. Laisser refroidir et trancher.
- Réchauffer les tranches de Rôti de tofu et de seitan au four et servir avec la sauce au tamari et au gingembre (voir recette suivante) ou encore avec une sauce.

*Un excellent substitut du traditionnel pain de viande.*

*Un complément alimentaire de choix qui contient une abondance de protéines, de vitamines et de minéraux.*

# Sauce au tamari et au gingembre

*Une sauce brune passe-partout*

| |
|---|
| 1 oignon haché finement |
| 1 gousse d'ail émincée |
| 15 ml (1 c. à s.) de racine de gingembre frais, râpée |
| 5 champignons hachés |
| 30 ml (2 c. à s.) d'huile de soja ou autre |
| 15 ml (1 c. à s.) d'huile de sésame (facultatif) |
| 30 ml (2 c. à s.) de tapioca moulu |
| 30 ml (2 c. à s.) de tamari |
| 125 ml (1/2 t) d'eau |
| 125 ml 1/2 t) de boisson de soja |
| 2 ml (1 c. à thé) de basilic en feuilles |
| une pincée de thym |
| Poivre de cayenne |

**550 ML**
**PRÉPARATION : 10 MINUTES**
**CUISSON : 10 MINUTES**

- Mettre les 6 premiers ingrédients dans un poêlon et cuire à feu doux pendant environ 5 minutes.

- Ajouter le reste des ingrédients et cuire jusqu'à consistance onctueuse (environ 5 minutes).

*J'aime bien cette sauce avec les brochettes ou le rôti de tofu et de seitan ou encore avec des croquettes…*

*À la fois simple et nutritive !*

# Quiche aux courgettes
## *Délicieusement onctueuse*

2 courgettes (zucchini) non pelées, tranchées

1 oignon coupé en rondelles

2 carottes râpées (de grosseur moyenne)

1/2 poivron vert coupé en lamelles

1 ou 2 gousses d'ail émincées

1/2 bloc de tofu (225 g ou 8 oz) écrasé à la fourchette

30 ml (2 c. à s.) d'huile de tournesol ou autre

440 ml (1 3/4 t) de boisson de soja

45 ml (3 c. à s.) de tapioca moulu

65 ml (1/4 t) persil frais, haché

Basilic

Sel de mer aromatique

Poivre de cayenne

1 abaisse de pâte (fond de tarte) non cuite. (Voir p. 110)

fromage mozzarella ou Gruyère râpé (facultatif)

**6 PORTIONS**
**PRÉPARATION : 25 MINUTES**
**CUISSON : 30 MINUTES**

↝ Cuire ensemble les 7 premiers ingrédients à feu doux pendant environ 5 minutes. Ajouter le reste des ingrédients à l'exception de l'abaisse et du fromage. Poursuivre la cuisson jusqu'à épaississement (environ 5 minutes). Verser le mélange dans l'abaisse (dans une grande assiette à tarte de 28 cm ou 11 pouces). Garnir de fromage râpé.

↝ Cuire au four à 180 °C (350 °F) pendant 20 minutes ou jusqu'à ce que la quiche soit bien dorée.

↝ Couper en 6 pointes et servir comme repas ou en 12 pointes pour une entrée.

*Servir cette savoureuse quiche bien assaisonnée avec de bons légumes verts, des betteraves en salade ou légèrement cuites.*

*Une bonne source de protéines et de vitamine A.*
*Le poivre de cayenne a des propriétés antiseptiques et il active la chaleur du corps de même que la digestion.*

# Carrés à l'avoine et au tofu

## Un goût différent

2 oignons hachés

250 ml (1 t) de champignons hachés

1 ou 2 gousses d'ail émincées

45 ml (3 c. à s.) d'huile de tournesol ou autre

340 g (12 oz) de tofu crémeux (vendu en petite boîte)

375 ml (1 1/2 t) de flocons d'avoine

500 ml (2 t) de céréales de riz croustillant « Rice Krispies »

125 ml (1/2 t) de boisson de soja

30 ml (2 c. à s.) de tamari

Clou de girofle moulu, muscade et cannelle au goût

Sel de mer aromatique

Poivre de cayenne

**4 À 5 PORTIONS**
**PRÉPARATION : 10 MINUTES**
**CUISSON : 30 MINUTES**

❧ Cuire légèrement les oignons, les champignons et l'ail dans l'huile. Ajouter le reste des ingrédients et bien mélanger. Étaler la préparation dans un plat huilé de 20 cm X 20 cm (8 X 8 po.) et cuire au four à 180 °C (350 °F) pendant 25 minutes.

❧ Laisser reposer quelques minutes avant de servir.

*Ce repas est idéal par temps froid. L'avoine est surtout une céréale d'hiver qui apporte chaleur et énergie, sans compter qu'elle aide à favoriser l'élimination.*

# Boulettes au sarrasin, au millet et au tofu

*De belles petites boulettes sans viande*

| |
|---|
| 250 ml (1 t) de sarrasin blanc |
| 125 ml (1/2 t) de millet |
| 625 ml (2 1/2 t) d'eau |
| 65 ml (1/4 t) de légumes séchés |
| 5 ml (1 c. à thé) de concentré de légumes |
| 45 ml (3 c. à s.) de tamari |
| 1 oignon haché finement |
| 125 ml (1/2 t) de tofu crémeux (vendu en petite boîte) |
| 65 ml (1/4 t) de levure alimentaire |
| 85 ml (1/3 t) de boisson de soja ou autre |
| 45 ml (3 c. à s.) de pâte de tomates |
| 30 ml (2 c. à s.) d'huile de soja ou autre |
| Poivre de cayenne |
| 250 ml (1 t) de fromage râpé (facultatif) |
| Chapelure |

**25 BOULETTES**
**PRÉPARATION : 25 MINUTES**
**CUISSON : 45 MINUTES**

- Cuire ensemble les 7 premiers ingrédients. Porter à ébullition et réduire à feu doux, à découvert, jusqu'à évaporation complète de l'eau (environ 15 minutes). Ne pas brasser pendant la cuisson. Fermer le feu et couvrir la casserole. Laisser reposer pendant 15 minutes.

- Ajouter le reste des ingrédients à l'exception de la chapelure et bien mélanger. Façonner de petites boulettes, les passer délicatement dans la chapelure et faire dorer dans un poêlon légèrement huilé.

- Servir avec de bons légumes variés et une sauce à votre choix (voir la table des matières).

*Un repas très doux qui se digère facilement et qui favorise une bonne circulation du sang.*

# Tofu sauté passe-partout

*Quel régal !*

| |
|---|
| 1 bloc de tofu (450g ou 16 oz) coupé en cubes ou râpé |
| 65 ml (1/4 t) de flocons d'oignons séchés |
| 15 ml (1 c. à s.) de poudre d'ail |
| 15 ml (1 c. à s.) de basilic |
| 30 ml (2 c. à s.) de gingembre frais haché ou 15 ml (1 c. à s.) de poudre de gingembre |
| 45 ml (3 c. à s.) d'huile de soja ou autre |
| 15 ml (1 c. à s.) de graines de sésame entières ou moulues |
| 30 ml (2 c. à s.) de levure alimentaire |
| 45 ml (3 c. à s.) de tamari |
| Poivre de cayenne |

**4 PORTIONS**
**PRÉPARATION : 10 MINUTES**
**CUISSON : 8 À 10 MINUTES**

↬ Faire dorer le tofu dans un poêlon antiadhésif avec les oignons séchés, la poudre d'ail, le basilic et le gingembre, et faire dorer légèrement. Fermer le feu et ajouter le reste des ingrédients.

*Excellent avec du quinoa, du millet, du riz, dans les soupes ou avec des pâtes alimentaires.*

*Facile à digérer et riche en calcium et en potassium, ce mets contient aussi du fer et des vitamines essentielles du groupe B.*

# Macaroni au tofu et aux légumes
## Un régal pour tous

750 ml (3 t) de macaronis ou coquilles aux légumes.
(Cuire et réserver)

1 oignon haché

1 branche de céleri émincée

1 poivron vert ou rouge haché

6 à 8 champignons tranchés

45 ml (3 c. à s.) d'huile de soja ou autre

250 ml (1 t) de tofu sauté passe-partout

45 ml (3 c. à s.) de tamari

Sel de mer au goût (facultatif)

Poivre de çayenne

*Garniture :*
30 ml (2 c. à s.) d'huile de soja ou autre

175 ml (2/3 t) de chapelure
(pain grillé et moulu au mélangeur)

## 4 À 5 PORTIONS
## PRÉPARATION : 15 MINUTES
## CUISSON : 25 MINUTES

- Mettre dans un poêlon l'oignon, le céleri, le poivron, les champignons et l'huile. Cuire légèrement à feu moyen. Ajouter le reste des ingrédients à l'exception de la garniture. Verser le mélange dans un plat 23 cm X 30 cm (9 X 12 po.) allant au four et réserver.

- Garniture : Chauffer l'huile dans un poêlon et y incorporer la chapelure. Répandre sur la préparation.

- Cuire au four à découvert à 180 °C (350 °F) pendant environ 10 minutes.

- Remarque : Ce mets peut aussi être servi en salade. Dans ce cas, ne pas mettre l'huile ni la chapelure de la garniture.

*Les pâtes alimentaires faites à partir de farine entière et biologique sont meilleures pour la santé. On en trouve maintenant une grande variété.*

# Pâté chinois au sarrasin et au soja

*Vite fait malgré le nombre d'ingrédients*

| |
|---|
| 175 ml (2/3 t) de sarrasin blanc |
| 175 ml (2/3 t) de protéine texturée |
| 65 ml (1/4 t) de légumes séchés |
| 5 ml (1 c. à thé) de concentré de légumes |
| 30 ml (2 c. à s.) de tamari |
| 500 ml (2 t) d'eau bouillante |
| 3 pommes de terre |
| 1/2 navet (petit) |
| 2 grosses carottes |
| 125 ml (1/2 t) de boisson de soja |
| 30 ml (2 c. à s.) d'huile de tournesol ou beurre |
| Sel de mer aromatique |
| Poivre de cayenne |
| 1/2 poivron vert haché |
| 1 oignon haché |
| 1 branche de céleri hachée |
| 30 ml (2 c. à s.) d'huile de tournesol |
| Sel de mer aromatique |
| Poivre de cayenne |
| 940 ml (3 3/4 t) de maïs en grains, frais ou surgelé |

**5 À 6 PORTIONS**
**PRÉPARATION : 20 MINUTES**
**CUISSON : 20 MINUTES**

↬ Cuire ensemble le sarrasin, la protéine texturée, les légumes séchés, le concentré de légumes, le tamari et l'eau bouillante. Porter le tout à ébullition et réduire ensuite à feu doux pendant 10 minutes et réserver.

- Faire cuire les pommes de terre, le navet, les carottes dans l'eau et garder ensuite cette eau de cuisson. Réduire en purée avec la boisson de soja et un peu d'eau de cuisson, l'huile ou le beurre jusqu'à l'obtention d'une consistance crémeuse. Assaisonner avec le sel de mer et le poivre de cayenne au goût et réserver.

- Dans un poêlon, faire revenir le poivron vert, l'oignon et le céleri dans l'huile. Cuire légèrement. Ajouter la première préparation de sarrasin, le sel de mer et le poivre de cayenne. Bien mélanger.

- Étendre ce mélange dans un plat en pyrex huilé de 20 m X 28 cm (8 X 11 po.). Mettre le maïs et ajouter ensuite la purée de légumes.

- Cuire au four à 180 °C (350 °F) pendant 15 minutes.

# Casserole de pommes de terre

*Pour les amateurs de pommes de terre…*

5 pommes de terre coupées en tranches de 0,5 cm (1/4 pouce). S'il s'agit de pommes de terre de culture biologique, les laver et laisser la pelure; sinon, les peler.

2 oignons coupés en rondelles

2 gousses d'ail émincées

10 champignons coupés en deux

12 mange-tout coupés en biseau

1/2 bloc tofu (225 g ou 8 oz) sauté passe-partout (voir p. 94)

45 ml (3 c. à s.) d'huile de soja ou autre

750 ml (3 t) de boisson de soja

15 ml (1 c. à s.) de moutarde de Dijon

2 ml (1/2 c. à thé) de poudre de cari ou plus, au goût

45 ml (3 c. à s.) de tapioca moulu

Sel de mer aromatique

Poivre de cayenne

**4 PORTIONS**
**PRÉPARATION : 15 MINUTES**
**CUISSON : 25 MINUTES**

- Mélanger tous les ingrédients et verser dans une grande casserole de 23 cm X 30 cm (9 X 12 po.). Cuire au four à 200 °C (400 °F) pendant 25 minutes.

- Accompagner ce repas d'une salade de légumes variés.

*Si vous aimez le fromage, vous pouvez gratiner ce plat.*

*Cette recette est sublime !*
*La pomme de terre est un légume féculent riche en potassium qui contient aussi de la vitamine B6, du magnésium et du fer. Elle peut être utilisée crue dans les jus à l'extracteur. Elle favorise la cicatrisation des ulcères d'estomac et aide à réduire l'inflammation.*

# Tofu en sauce brune

*Un vrai festin !*

| |
|---|
| 2 gousses d'ail émincées |
| 1 oignon haché |
| 45 ml (3 c. à s.) d'huile de soja ou autre |
| 65 ml (1/4 t) de farine de blé entier |
| 1/2 bloc de tofu (225 g ou 8 oz) râpé |
| 65 ml (1/4 t) de tamari |
| 5 ml (1 c. à thé) de miso |
| 315 ml (1 1/4 t) d'eau |
| 125 ml (1/2 t) de jus de légumes en conserve |
| 125 ml (1/2 t) de pois verts surgelés (facultatif) |
| Poivre de cayenne et basilic au goût |

**4 PORTIONS**
**PRÉPARATION : 10 MINUTES**
**CUISSON : 10 MINUTES**

- Mettre l'ail, l'oignon et l'huile dans un poêlon et cuire légèrement. Ajouter le reste des ingrédients et poursuivre la cuisson en remuant jusqu'à épaississement (environ 10 minutes).

- Variante : Si vous aimez les épices, ajoutez du clou de girofle et de la cannelle.

- Servir sur une tranche de pain grillé et compléter avec de bons légumes ou le servir avec du millet, du riz, etc.

*Un autre festin santé au tofu riche en minéraux et en protéines.*

*Remarque : Si la sauce est trop épaisse, ajouter un peu d'eau.*

# Béchamel au tofu

### Une belle sauce onctueuse

| |
|---|
| 1 oignon haché finement |
| 45 ml (3 c. à s.) d'huile de soja ou autre |
| 65 ml (1 /4 t) de farine de blé |
| 500 ml (2 t) de boisson de soja |
| 100 g (3 1/2 oz) de tofu émietté |
| 2 ml (1/2 c. à thé) de cari |
| Sel de mer aromatique |
| Poivre de cayenne |

*Garniture :*
Persil ou oignons verts (échalotes) hachés finement

**780 ML**
**PRÉPARATION : 10 MINUTES**
**CUISSON : 6 À 8 MINUTES**

Cuire légèrement l'oignon dans l'huile. Retirer du feu et ajouter la farine. Bien mélanger. Verser le reste des ingrédients et cuire jusqu'à épaississement, soit environ 5 minutes.

*La sauce béchamel appréciée de tous peut servir à créer plusieurs repas. Essayez-la sur du riz ou du millet cuit, ajoutez-y des légumes semi-cuits, du fromage râpé et de minces tranches de tomates. Vous obtiendrez un repas complet d'une grande valeur nutritive.*

*Remarque : Si la sauce est trop épaisse, ajouter un peu d'eau.*

# Tofu en omelette aux légumes

*Une omelette magique sans cholestérol !*

250 g (9 oz) de tofu émietté

1 oignon haché

1/2 branche de céleri hachée

1/2 poivron vert émincé

5 à 6 champignons tranchés

45 ml (3 c. à s.) d'huile de soja ou autre

2 ml (1/2 c. à thé) de curcuma

Une pincée de cari

175 ml (2/3 t) de boisson de soja

15 ml (1 c. à s.) de farine de blé entier

Sel de mer aromatique

Poivre de cayenne

Fromage râpé (facultatif)

**2 PORTIONS**
**PRÉPARATION : 15 MINUTES**
**CUISSON : 15 MINUTES**

- Déposer dans un poêlon le tofu, l'oignon, le céleri, le poivron, les champignons et l'huile. Cuire légèrement. Ajouter le reste des ingrédients et cuire au four à 180 °C (350 °F) pendant environ 10 minutes.

- Servir au petit-déjeuner pour remplacer les œufs ou encore le midi avec une bonne salade verte et des légumes cuits à la vapeur.

*Un mets délicieux avec ou sans fromage.*

# Riz aux légumes et au tofu

*Un régal pour les yeux et les papilles gustatives*

500 ml (2 t) de riz brun à grains longs ou basmati

1 L (4 t) d'eau

65 ml (1/4 t) de légumes séchés

5 ml (1 c. à thé) de concentré de légumes

5 ml (1 c. à thé) de basilic

2 feuilles de laurier

1 poivron rouge haché

1 oignon haché

1 ou 2 gousses d'ail émincées

250 ml (1 t) de maïs frais ou surgelé

250 ml (1 t) de mange-tout coupés en biseau

1 poignée de persil, haché

5 ml (1 c. à thé) de curcuma ou cari

1 bloc de tofu (450 g ou 16 oz) sauté passe-partout (voir p.94)

45 ml (3 c. à s.) d'huile de soja ou de tournesol

Sel de mer aromatique

Poivre de cayenne

**6 À 7 PORTIONS**
**PRÉPARATION : 15 MINUTES**
**CUISSON : 30 MINUTES**

Rincer le riz à l'eau froide. Porter l'eau à ébullition et y ajouter le riz, les légumes séchés, le concentré de légumes, le basilic et les feuilles de laurier. Cuire à feu doux, à découvert, jusqu'à évaporation complète de l'eau (15 à 20 minutes). Ne pas remuer pendant la cuisson. Ensuite fermer le feu et couvrir la casserole. Laisser reposer 15 minutes. Remuer légèrement avec une fourchette. Mettre

tous les légumes et le tofu dans une poêle avec l'huile, et
faire cuire à feu doux pendant quelques minutes. Ajouter le
riz et les assaisonnements.

*Ce riz n'est jamais collant.*

*Le riz est une excellente céréale. Il a un effet bienfaisant sur les reins,
notamment dans les cas d'insuffisance rénale. De plus, il est riche en
fibres, en protéines, en vitamine B, en potassium,
en zinc et en magnésium.*

# Chop suey au tofu ou au seitan

### Du traditionnel au naturel

2 oignons coupés en lamelles

2 ou 3 gousses d'ail émincées

1/2 poivron jaune coupé en lamelles

1/2  poivron rouge ou vert coupé en lamelles

6 à 8 champignons coupés en deux ou en quatre

1 branche de céleri émincée

45 ml (3 c. à s.) d'huile de tournesol ou autre

1 1/2 L (6 t) de germes de haricots

65 ml (1/4 t) de tamari

1 bloc de tofu (450 g ou 16 oz) sauté passe-partout

(voir p. 94) ou de seitan coupé en cubes

Poivre de cayenne

**4 À 5 PORTIONS**
**RÉPARATION 15 MINUTES**
**CUISSON : 15 MINUTES**

- Dans une grande casserole, faire cuire ensemble les 7 premiers ingrédients pendant environ 5 minutes.  Ajouter les haricots germés et poursuivre la cuisson à feu doux pendant une dizaine de minutes.  Incorporer le tamari, le tofu ou le seitan et assaisonner de poivre de cayenne au goût.

- Variante : Ajouter une boîte de tomates ou de sauce tomates. On pourrait aussi mettre moitié tofu moitié seitan.

- Servir accompagné de pain croûté, de riz ou de pâtes alimentaires.

*Une haute teneur en fibres et facile à digérer.*

# Bourguignonne au tofu

*Une petite fantaisie !*

225 g (8 oz) de champignons coupés en deux

2 oignons coupés grossièrement

1 ou 2 gousses d'ail

45 ml (3 c. à s.) d'huile de soja ou autre

1 bloc de tofu (450 g ou 16 oz) sauté passe-partout
(voir p. 94)

398 ml (14 oz) de sauce aux tomates
(fraîche ou en conserve)

315 ml (1 1/4 t) d'eau

45 ml (3 c. à s.) de tamari

65 ml (1/4 t) de ketchup aux tomates rouges naturel
ou autre

65 ml (1/4 t) de vin rouge (facultatif)

5 ml (1 c. à thé) de paprika

5 ml (1 c. à thé) de poudre de chili

Sel de mer aromatique

Poivre de cayenne (facultatif)

**4 À 5 PORTIONS**
**PRÉPARATION : 15 MINUTES**
**CUISSON : 15 MINUTES**

- Faire cuire légèrement les champignons, les oignons et l'ail dans l'huile.   Ajouter le reste des ingrédients et poursuivre la cuisson à feu doux pendant environ 10 minutes.

*Tout simple, un repas de fête fort apprécié en tout temps...*

- Si vous préférez un bouillon plus épais, ajoutez un peu de tapioca moulu (15 ml ou 1 c. à s.) délayé dans un peu d'eau et incorporez-le au mélange pendant la cuisson.

- Servir avec une salade César ou une autre à votre choix, des haricots verts cuits ainsi que du riz ou des pâtes.

*Cette bourguignonne à la sauce légèrement épicée est délicieuse et, avec une céréale, elle complète bien un repas de protéines.*

# Club sandwich

*Appétissant, rapide et savoureux*

3 tranches de pain de blé entier, grillées et beurrées

65 ml (1/4 t) ou plus de garniture au tofu
(voir recette page suivante)

2 tranches de « Deli-veggie » (vendu dans les magasins
d'aliments naturels)

Mayonnaise au tofu (voir p. 55) ou autre, au choix

4 tranches de tomates

Feuilles de laitue

Luzerne

Sel de mer aromatique

Poivre de cayenne

**1 CLUB**
**PRÉPARATION : 10 MINUTES**

⊸ Déposer les tranches de pain grillées et beurrées sur une
planche de travail. Étendre sur une des tranches la garniture
au tofu et ajouter de la laitue. Couvrir une deuxième tranche
de pain de mayonnaise et la déposer sur la laitue. Ajouter les
tranches de « Deli-veggie », les tomates, de la laitue et de la
luzerne. Assaisonner de sel de mer aromatique et de poivre de
cayenne au goût. Étendre de la mayonnaise sur la dernière
tranche de pain et fermer le sandwich. Piquer des cure-dents
aux quatre coins et couper en quatre morceaux.

⊸ Variante : Remplacer la garniture au tofu par de la tartinade
à l'avocat, aux courgettes et au tofu (voir p. 63).

*Servir comme hors-d'œuvre ou comme repas complet avec une délicieuse
salade de chou crémeuse ou avec des germes de légumineuses
(lentilles, haricots mung, etc.)*

*En canapés : ne pas griller le pain, enlever les croûtes et couper le
sandwich en trois fins rectangles. Piquer chacun avec un cure-dent de
fantaisie. Ravissant pour les yeux et vraiment délicieux !
On vous en redemandera !*

# Garniture au tofu

*Remplace la salade aux œufs*

| |
|---|
| 1/2 bloc de tofu (225 g ou 8 oz) écrasé à la fourchette ou passé au robot culinaire |
| 2 ml (1/2 c. à thé) de curcuma |
| 1 oignon vert (échalote) haché ou de la ciboulette |
| 5 ml (1 c. à thé) de vinaigre balsamique ou de cidre |
| 1/2 branche de céleri hachée |
| 1/2 poivron vert haché |
| 2 ml (1/2 c. à thé) de moutarde de Dijon |
| 30 ml (2 c. à s.) mayonnaise au tofu ou autre (voir p. 55) |
| Sel de mer aromatique |
| Une pincée de poivre de cayenne |

**500 ML**
**PRÉPARATION : 10 MINUTES**

↪ Mélanger tous les ingrédients.

*Délicieux aussi dans des sous-marins ou des pains pita.*

*Savoureux et bon pour la santé !*

# Les desserts

# Pâte brisée de blé entier (pâte à tarte)

*Pour notre bon plaisir*

| |
|---|
| 750 ml (3 t) de farine de blé entier |
| 15 ml (1 c. à s.) de sucanat ou sucre brut |
| 5 ml (1 c. à thé) de sel de mer |
| 5 ml (1 c. à thé) de poudre à pâte |
| 190 ml (3/4 t) d'huile de tournesol |
| 190 ml (3/4 t) d'eau |

**3 ABAISSES**
**PRÉPARATION : 5 MINUTES**

&#x267A; Mélanger les 4 premiers ingrédients et faire un trou au centre. Y verser l'huile et l'eau. Battre avec une fourchette jusqu'à l'obtention d'une boule. Laisser reposer 10 minutes.

&#x267A; Cette boule se congèle facilement et elle dégèle en 2 à 3 heures à la température de la pièce. Je préfère, pour ma part, couper ma boule en trois avant de la congeler.

*Cette pâte peut servir à confectionner des tartes ou des quiches, des pâtés, etc.*

Remarque : On peut aussi ne pas mettre de sucre; le goût et la texture seront cependant légèrement différents.

# Tarte au chocolat-tofu

*Un bon dessert chocolaté*

| | |
|---|---|
| 1 abaisse (fond de tarte) cuite (voir p. 110) | |
| 625 ml (2 1/2 t) de boisson de soja au chocolat ou au caroube | |
| 30 ml (2 c. à s.) de cacao ou poudre de caroube | |
| 5 ml (1 c. à thé) de vanille | |
| 85 ml (1/3 t) de tapioca moulu | |
| 15 ml (1 c. à s.) de farine de blé entier | |
| 85 ml (1/3 t) de sucanat ou sucre brut | |

**1 TARTE**
**PRÉPARATION : 5 MINUTES**
**CUISSON : 10 MINUTES**

❧ Mettre tous les ingrédients dans le mélangeur ou battre avec un fouet. Cuire à feu doux en remuant jusqu'à épaississement. Verser dans l'abaisse et laisser refroidir.

❧ Variante : Cette crème chocolatée peut aussi se manger telle quelle avec des crêpes, du gâteau, des biscuits, etc.

*Un régal sain et nutritif !*

# Tarte au sucre et au tofu

## Pour les amateurs de tarte au sucre

| |
|---|
| 1 abaisse de pâte brisée au blé entier, non cuite (voir p. 110) |
| 190 ml (3/4 t) de tofu émietté |
| 250 ml (1 t) de boisson de soja |
| 250 ml (1 t) de sirop d'érable |
| 2 ml (1/2 c. à thé) d'essence d'érable |
| 85 ml (1/3 t) de farine de blé entier |
| 30 ml (2 c. à s.) de tapioca moulu |
| Noix de Grenoble ou pacanes (facultatif) |

**1 TARTE**
**PRÉPARATION : 10 MINUTES**
**CUISSON : 20 MINUTES**

☞ Mettre tous les ingrédients dans le mélangeur à l'exception des noix. Fouetter à grande vitesse. Verser dans l'abaisse et garnir avec les noix. Cuire au four à 180 °C (350 °F) pendant 20 minutes.

*Une tarte facile à faire avec des ingrédients simples et bien de chez nous. On peut la servir chaude avec du tofu glacé, du riz glacé ou de la crème glacée, ou encore froide avec une crème fouettée au choix.*

# Tarte au citron et à l'ananas

## Sans sucre, elle fait fureur

| |
|---|
| 1 abaisse (fond de tarte) cuite |
| 375 ml (1 1/2 t) d'eau |
| 1 citron frais, pelé, coupé et épépiné |
| 125 ml (1/2 t) de concentré congelé de jus d'ananas non sucré, ou plus au goût |
| 15 ml (1 c. à s.) d'huile de tournesol ou de soja |
| 85 ml (1/3 t) de tapioca moulu |
| 60 g (2 oz) de tofu émietté |

**1 TARTE**
**PRÉPARATION : 5 MINUTES**
**CUISSON : 10 MINUTES**

⮑ Mettre tous les ingrédients au mélangeur et fouetter. Cuire à feu moyen en remuant jusqu'à épaississement, environ 5 à 10 minutes.

*Vraiment délicieuse, cette crème onctueuse se déguste bien avec n'importe quel dessert : gâteaux, biscuits, muffins, gaufres, crêpes, etc.*

*Un dessert santé sans sucre et riche en éléments nutritifs.*

# Biscuits pause-tisane
*Nourrissants*

| |
|---|
| 125 ml (1/2 t) de boisson de soja |
| 190 ml (3/4 t) de jus de pomme non sucré |
| 85 ml (1/3 t) d'huile de tournesol |
| 85 ml (1/3 t) de miel ou sirop d'érable |
| Une pincée de sel de mer |
| 175 ml (2/3 t) de noix hachées |
| 65 ml (1/4 t) de noix de coco |
| 125 ml (1/2 t) de raisins secs ou dattes hachées |
| 65 ml (1/4 t) de graines de tournesol |
| 250 ml (1 t) de flocons d'avoine, d'épeautre ou d'orge |
| 500 ml (2 t) de farine de blé entier |
| 10 ml (2 c. à thé) de poudre à pâte |
| 5 ml (1 c. à thé) de cannelle |
| Noix de Grenoble, pacanes ou graines de tournesol (facultatif) |

**30 BISCUITS**
**PRÉPARATION : 15 MINUTES**
**LAISSER REPOSER 20 MINUTES**
**CUISSON : 20 MINUTES**

- Mélanger les 10 premiers ingrédients.  Bien brasser avec une cuiller de bois. Ajouter la farine, la poudre à pâte et la cannelle. Mélanger légèrement. Laisser reposer de 20 à 30 minutes.

- Huiler une plaque à biscuits. Façonner de petites boules de pâte et les aplatir à l'aide d'une fourchette ou encore, utiliser un emporte-pièce. Décorer avec une noix.

- Cuire au four à 180 °C (350 °F) pendant 20 minutes.

*Un brin de fantaisie, une pause agréable et nutritive tant pour les tout-petits que pour les plus grands.*

Note : Si vous préférez vos biscuits un peu plus secs, il suffit de les laisser à l'air libre pendant quelques heures avant de les ranger.

*VOIR PHOTO PAGE 68*

# Biscuits à la pâte d'amandes

*Les amandes sont une excellente source de protéines*

| |
|---|
| 500 ml (2 t) de farine de blé entier |
| 125 ml (1/2 t) d'amandes moulues (au moulin à café) |
| 125 ml (1/2 t) de sucanat ou sucre brut |
| 10 ml (2 c. à thé) de poudre à pâte |
| 30 ml (2 c. à s.) de farine de maranta |
| Une pincée de sel de mer |
| 85 ml (1/3 t) d'huile de tournesol |
| 190 ml (3/4 t) de boisson de soja |
| 5 ml (1 c. à thé) d'essence d'amande |
| Amandes |

**24 BISCUITS**
**PRÉPARATION : 15 MINUTES**
**CUISSON : 20 MINUTES**

&#10097; Mélanger les 6 premiers ingrédients dans un bol. Faire un trou au centre et y verser le reste des ingrédients. Mélanger délicatement à la fourchette. Former de petites boules à l'aide d'une petite cuiller et les déposer sur une plaque à biscuits huilée. Les aplatir avec une fourchette et ajouter une amande sur chaque biscuit.

&#10097; Cuire au four à 190 °C (375 °F) pendant environ 20 minutes.

&#10097; Variante : Remplacer les amandes et l'essence d'amande par de la noix de coco et de l'essence de noix de coco.

*Ces bons biscuits-santé se congèlent facilement.*

# Pouding à l'indienne

### *À goûter absolument*

| |
|---|
| 375 ml (1 1/2 t) de boisson de soja |
| 125 ml (1/2 t) d'eau |
| 30 ml (2 c. à s.) d'huile de tournesol |
| Une pincée de sel de mer |
| 65 ml (1/4 t) de mélasse ou miel |
| 65 ml (1/4 t) de raisins secs |
| 125 ml (1/2 t) de tofu crémeux (vendu en petite boîte) |
| 85 ml (1/3 t) de semoule de maïs |
| Une pincée de cannelle et de muscade |

**4 PORTIONS**
**PRÉPARATION : 5 MINUTES**
**CUISSON : 30 MINUTES**

♋ Mélanger les 7 premiers ingrédients dans une casserole et porter à ébullition. Ajouter la semoule de maïs, la cannelle et la muscade et poursuivre la cuisson à feu doux pendant 8 à 10 minutes en remuant. Huiler un grand moule à pain et y verser la préparation. Cuire au four à 165 °C (325 °F) pendant 20 minutes.

♋ Servir tiède avec du tofu ou du riz glacé ou encore avec de la crème glacée.

*Un pouding riche en fer et en protéines, différent et très apprécié.*

# Barres aux arachides et au tofu

## La brillance du caramel

85 ml (1/3 t) de tofu crémeux (vendu en petite boîte)

85 ml (1/3 t) de miel ou sirop de riz

85 ml (1/3 t) sucanat ou sucre brut

175 ml (2/3 t) de beurre d'arachide ou
d'amande crémeux

15 ml (1 c. à s. ) de vanille

250 ml (1 t) de flocons d'avoine ou de maïs

250 ml (1 t) de céréales de riz croustillant
« Rice Krispies », ou de millet soufflé ou de riz soufflé

250 ml (1 t) d'arachides ou de noix de soja rôties

**10 À 12 BARRES**
**PRÉPARATION : 10 MINUTES**
**CUISSON : 5 MINUTES**

↬ Faire chauffer, à feu doux, le tofu, le miel, le sucanat et le beurre d'arachide jusqu'à ce que le sucre soit bien dissout. Remuer souvent. Fermer le feu et ajouter le reste des ingrédients. Mélanger.

↬ Huiler un moule de 18 cm X 25 cm (7 X 10 po.) et y étendre la préparation. Laisser refroidir et couper en rectangles.

*Ces barres nutritives se congèlent très bien et peuvent être conservées ainsi pendant 3 mois.*

*Énergétiques et vraiment bonnes !*

*VOIR PHOTO PAGE 68*

# Crêpes au sarrasin et à l'épeautre

*Toute une douceur pour l'organisme*

| |
|---|
| 125 ml (1/2 t) de farine de sarrasin |
| 175 ml (2/3 t) de farine d'épeautre ou de blé entier |
| 250 ml (1 t) de boisson de soja |
| 125 ml (1/2 t) d'eau |
| 30 ml (2 c. à s.) d'huile de tournesol |
| Une pincée de sel de mer |
| 5 ml (1 c. à thé) de bicarbonate de soude |
| 15 ml (1 c. à s.) de graines de sésame |

**12 PETITES CRÊPES**
**PRÉPARATION : 5 MINUTES**
**CUISSON : 15 MINUTES**

❧ Avec un fouet ou une fourchette, mélanger tous les ingrédients dans un grand bol jusqu'à ce qu'apparaissent de petites bulles d'air. Étendre de minces couches du mélange dans un poêlon légèrement huilé et faire dorer de chaque côté.

❧ Variante : Ajouter des fruits à la préparation : 250 ml (1 t) de framboises ou de bleuets, de pommes ou de poires coupées en petits cubes.

❧ Servir avec une bonne compote de pomme chaude ou une purée de fruits à votre goût, du beurre de pomme, de la mélasse.

*Riche en protéines, le sarrasin est un véritable trésor pour la santé.*

# Mousse à la compote de pommes

*Une collation dont les enfants raffolent*

| |
|---|
| 2 pommes jaunes dorées ou autres |
| 250 ml (1 t) de jus de pomme non sucré |
| 125 ml (1/2 t) de tofu crémeux (vendu en petite boîte) |
| 15 ml (1 c. à s.) de miel |
| 15 ml (1 c. à s.) de beurre de pomme (facultatif) |
| 15 ml (1 c. à s.) de beurre d'amande ou d'arachide |
| Une pincée de cannelle |

**815 ML (3 À 4 PORTIONS)**
**PRÉPARATION : 10 MINUTES**
**CUISSON : 10 MINUTES**

↪ Laver les pommes, les couper en morceaux, enlever le cœur et les faire cuire à feu moyen dans le jus de pomme environ 10 minutes. Laisser refroidir et passer au mélangeur avec le reste des ingrédients. Fouetter à grande vitesse pour obtenir une mousse.

*Une excellente source de vitamines et de minéraux.*

*Tout doux pour le système digestif.*

# Tofu-santé-énergétique

*Favorise une bonne élimination*

250 ml (1 t) de jus de pêche ou de poire non sucré

125 ml (1/2 t) de tofu crémeux (vendu en petite boîte)

15 ml (1 c. à s.) de graines de lin

15 ml (1 c. à s.) de psyllium

15 ml (1 c. à s.) de graines de sésame

1 capsule de bactéries lactiques de yogourt (facultatif)

65 ml (1/4 t) de raisins secs

1 ou 2 fruits au choix : mangue, poire, fraises, bleuets, framboises, pêche

Une pincée de coriandre ou de cannelle et de muscade

**1 À 2 PORTIONS**
**PRÉPARATION : 5 MINUTES**

 Mettre tous les ingrédients au mélangeur et fouetter à grande vitesse jusqu'à consistance crémeuse.

*Très efficace pour l'intestin. Adoucit, nourrit et protège tout en favorisant l'évacuation des selles.*

# Crème aux framboises et au tofu

*En collation ou comme dessert*

| |
|---|
| 500 ml (2 t) de framboises fraîches ou congelées |
| 125 ml (1/2 t) de tofu crémeux (vendu en petite boîte) |
| 250 ml (1 t) de boisson de soja |
| 30 ml (2 c. à s.) de tapioca moulu |
| 45 ml (3 c. à s.) de sucanat ou sucre brut |

**3 À 4 PORTIONS**
**PRÉPARATION : 3 MINUTES**
**CUISSON : 10 MINUTES**

⤷ Mélanger tous les ingrédients et faire cuire pendant 10 minutes, à feu doux, en remuant de temps en temps. Laisser refroidir un peu et verser dans le mélangeur. Fouetter à grande vitesse jusqu'à l'obtention d'une belle crème.

*Une petite douceur durant la journée.*

*La framboise est une excellente source de vitamine C, un tonique dépuratif et elle est légèrement laxative surtout lorsqu'elle est fraîche, en saison.*

# Crème aux bleuets, au caroube et au tofu

*Une bonne source d'énergie*

| |
|---|
| 500 ml (2 t) de bleuets frais ou congelés |
| 90 g (3 oz) de tofu émietté |
| Une pincée de sel de mer |
| 15 ml (1 c. à s.) d'huile de tournesol |
| 85 ml (1/3 t) de miel ou plus, au goût |
| 250 ml (1 t) de boisson de soja au caroube, au chocolat ou à la vanille |
| 30 ml (2 c. à s.) de tapioca moulu |

**600 ML (3 À 4 PORTIONS)**
**PRÉPARATION : 5 MINUTES**
**CUISSON : 10 MINUTES**

- Mettre tous les ingrédients dans le mélangeur et fouetter. Cuire ensuite à feu moyen jusqu'à épaississement (environ 10 minutes).

- Variante : Remplacer les bleuets par des framboises, des fraises, des pêches ou des ananas.

*Cette crème délicieuse peut accompagner une foule de desserts : crêpes, gaufres, pain doré.*

# Glace aux fruits

*Bravo ! Une glace-minute sans sucre !*

| |
|---|
| 2 bananes pelées et congelées |
| 250 ml (1 t) de bleuets ou de framboises congelés ou de pêches |
| 85 ml (1/3 t) de boisson de soja |
| 15 ml (1 c. à s.) de miel ou de sirop de riz (vendu dans les magasins d'aliments naturels) |
| 5 ml (1 c. à thé) de vanille |

**2 À 3 PORTIONS**
**PRÉPARATION : 3 MINUTES**

↬ Couper les bananes congelées en morceaux et mettre au mélangeur avec le reste des ingrédients. Bien mélanger. Au besoin, arrêter le mélangeur et brasser avec une spatule. Répéter jusqu'à l'obtention d'une belle glace. Servir immédiatement.

*Un bon choix de collation ou de dessert.*

*Nourrissant et sans sucre ajouté !*

*Un excellent substitut de crème glacée.*

# Cappucino

*Une mousse exquise*

---

250 ml (1 t) de boisson de soja

---

65 ml (1/4 t) d'eau

---

5 ml (1 c. à thé) de miel ou plus

---

5 ml (1 c. à thé) de poudre de caroube ou de cacao ou

30 ml (2 c. à s.) de brisures de caroube

ou de chocolat

---

5 ml (1 c. à thé) de substitut de café instantané

---

**1 PORTION**
**PRÉPARATION : 5 MINUTES**

꙳ Mélanger la boisson de soja et l'eau et porter à ébullition. Verser dans le mélangeur avec le reste des ingrédients. Fouetter à grande vitesse jusqu'à ce que le mélange devienne mousseux.

*Cette boisson légèrement chocolatée est savoureuse et nutritive à la fois. Les enfants en raffolent !*

Note : On peut utiliser du café instantané pour remplacer le substitut.

# Croustillant à l'ananas

*Tendre et léger*

375 ml (1 1/2 t) de farine de blé entier

375 ml (1 1/2 t) de flocons d'avoine

85 ml (1/3 t) de sucanat ou sucre brut

85 ml (1/3 t) d'huile de tournesol

5 ml (1 c. à thé) de bicarbonate de soude

85 ml (1/3 t) de boisson de soja

Une pincée de sel de mer

Une pincée de cannelle et de muscade

*Garniture :*

1 boîte de 540 ml (19 oz) d'ananas broyés dans leur jus
sans sucre ajouté

30 ml (2 c. à s.) de sucanat ou sucre brut

15 ml (1 c. à s.) de tapioca moulu

**6 À 8 CARRÉS**
**PRÉPARATION : 15 MINUTES**
**CUISSON : 20 MINUTES**

- Mélanger tous les ingrédients à la main. (À l'exception des ingrédients de la garniture.)

- Presser à la main à l'aide d'une spatule la moitié ou un peu plus de cette préparation dans un plat non huilé de 20 cm X 20 cm (8 X 8 po.) allant au four.

- Verser les ananas (garniture) sur la préparation et saupoudrer le sucanat et le tapioca. Mélanger un peu avec une fourchette, puis ajouter le reste de la première préparation.

- Cuire au four à 180 °C (350 °F) pendant environ 20 minutes.

*Mmmmm ! Le goût rafraîchissant des ananas.*

# Gâteau au tofu

*Un substitut de gâteau au fromage*

*Croûte de chapelure Graham :*

375 ml (1 1/2  t) de chapelure de biscuits Graham

45 ml (3 c. à s.) d'huile de tournesol

Pincée de sel de mer

15 ml (1 c. à s.) de sucanat ou sucre brut

*Garniture :*

250 ml (1 t) de tofu émietté

500 ml (2 t) de boisson de soja

65 ml (1/4 t) de tapioca moulu

15 ml (1 c. à s.) de farine de maranta

10 ml (2 c. à thé) de vanille

85 ml (1/3 t) de sucanat ou sucre brut

*Décoration :*

500 ml (2 t) de framboises ou bleuets congelés

250 ml (1 t) de jus de pomme ou d'ananas (non sucré)

30 ml (2 c. à s.) de sucanat ou sucre brut

30 ml (2 c. à s.) de tapioca moulu

**6 À 8 PORTIONS**
**PRÉPARATION : 20 MINUTES**
**CUISSON : 25 MINUTES**

*Croûte de chapelure Graham :*

➽ Mélanger tous les ingrédients.  Presser le tout dans le fond d'un moule à charnière non graissé de 20 cm (8 pouces).

*Garniture :*

➽ Déposer tous les ingrédients dans le mélangeur et fouetter à grande vitesse.  Verser le tout sur le fond de biscuits Graham.  Cuire au four à 180 °C (350 °F) pendant environ 25 minutes ou jusqu'à ce que le gâteau soit pris.

*Décoration :*

➽ Mélanger tous les ingrédients et faire cuire à feu doux en remuant jusqu'à ce que la préparation épaississe.  Ensuite, verser sur la garniture.

➽ Réfrigérer sans couvrir pendant 4 à 6 heures avant de le couper.

*Délicieux tel quel ou avec un coulis de fruits !*

# Le seitan

Le seitan nous offre plusieurs possibilités de transformer un menu ordinaire en menu extraordinaire.

On peut facilement remplacer le bœuf par le seitan. Toutes les recettes « traditionnelles » que je faisais autrefois avec du bœuf ou de la viande, je les fais maintenant avec du seitan. Quel bonheur de retrouver mes bonnes tourtières, mon ragoût, mes brochettes, mon rosbif et bien d'autres mets encore tout à fait sains !

### Qu'est-ce que le seitan ?

Le seitan, ou gluten de blé, est un aliment préparé à partir de la farine de blé dur (farine à pain). On peut l'acheter tout préparé dans les magasins d'aliments naturels. De texture ferme tout en étant un peu élastique, il est économique, facile à préparer, très digestible. Il a un goût qui plaît à tous. Parce qu'il n'est pas considéré comme complet au point de vue protéique, il est bon de l'accompagner soit de légumineuses, de produits laitiers ou encore de noix et de graines de tournesol, sésame, citrouille, ou de boisson de soja, de miso ou de sauce au soja.

L'organisme a besoin, pour son équilibre, d'au moins un repas par jour qui soit complet du point de vue protéique afin d'avoir tous les acides aminés essentiels au maintien d'une bonne santé. Il est très facile de compléter la valeur protéique du seitan en puisant dans la nature. Il suffit d'apprendre à en découvrir les nombreuses richesses. Le seitan ne contient aucun gras saturé ni cholestérol. On le fait cuire dans un bouillon riche en minéraux, par exemple : des algues, du miso, de la sauce tamari à base de soja et d'autres assaisonnements.

Il se vend en cubes, dans un emballage sous vide marqué d'une date de fraîcheur. Il se conserve au réfrigérateur et peut facilement être congelé pendant trois mois.

### Les allergies

Le seitan ne convient pas aux personnes allergiques au blé, car il s'agit de gluten à l'état pur et concentré. Voici les aliments qui contiennent du gluten : le seitan, le blé, l'épeautre et l'orge.

# La fabrication du seitan

Le seitan est fabriqué à partir de farine de blé dur entière (farine à pain) ou de farine blanche (non blanchie) faite de blé de culture biologique si possible. On se la procure facilement dans les magasins de produits naturels. Comme la farine blanche (non blanchie) contient moins de son que la farine de blé entier, la fabrication du seitan est plus rapide.

Deux choix s'offrent à nous pour faire le seitan : deux recettes différentes dont une à base de farine de gluten (plus rapide à faire) et une à base de farine de blé dur (farine à pain).

Voici les cinq étapes de la fabrication du seitan :
- Mélanger la farine et les ingrédients secs;
- Ajouter les liquides, ceci donnera une boule de pâte;
- Pétrir pour développer le gluten;
- Rincer pour en extraire le gluten qui constitue le seitan. Le rinçage sert à séparer l'amidon et le son du gluten.
- Cuire cette boule de seitan dans le bouillon.

# Seitan à la farine de blé dur

*Un aliment très digeste et parfaitement assimilable*

| | |
|---|---|
| 1 1/2 litre (6 t) de farine de blé dur (farine à pain ou farine blanche, non blanchie) | |
| 5 ml (1 c. à thé) de sel de mer | |
| 85 ml (1/4 t) de levure alimentaire | |
| 30 ml (2 c. à s.) de semoule de maïs | |
| 5 ml (1 c. à thé) de poudre d'oignon | |
| 5 ml (1 c. à thé) de poudre de gingembre | |
| 15 ml (1 c. à s.) de basilic | |
| Poivre de cayenne au goût | |
| 750 ml (3 t) d'eau froide | |
| 45 ml (3 c. à s.) de tamari | |
| 30 ml (2 c. à s.) d'huile de soja ou autre | |

**750 ML**
**PRÉPARATION : 25 MINUTES**
**TREMPAGE : 2 HEURES**
**CUISSON : 1 HEURE**

↪ Mélanger les 8 premiers ingrédients. Verser l'eau, le tamari et l'huile. Brasser vigoureusement à la cuillère de bois pendant environ 3 minutes.

↪ Pétrissage : déposer cette pâte dans un grand bol ou sur une surface propre et enfarinée. Ajouter de la farine afin d'obtenir une pâte qui ne colle pas. Pétrir avec les mains pendant environ 15 minutes. Couvrir cette boule de pâte d'eau froide et laisser reposer pendant 2 heures.

↪ Jeter l'eau et rincer le seitan.

❧ *Rinçage du seitan :* Remplir de nouveau le bol d'eau froide et pétrir la boule de pâte sous l'eau en changeant d'eau au besoin lorsqu'elle devient trop amidonnée. Ou encore, placer le bol dans l'évier et laisser couler un filet d'eau froide. Pétrir jusqu'à ce que l'eau reste claire. Vous avez maintenant une masse caoutchouteuse.

❧ *Cuisson du seitan :* Déposer la boule de seitan dans le bouillon de cuisson du seitan (voir recette) et la couper en quatre parties. Couvrir la casserole à demi et faire cuire pendant environ 1 heure à feu doux en retournant de temps à autre les morceaux de seitan. En cuisant, le seitan augmente de volume. Une fois la cuisson terminée, retirer le seitan du bouillon et le laisser refroidir.

❧ Réfrigérer pendant au moins 12 heures avant de l'utiliser. Il deviendra ainsi plus ferme.

*Pour une fraîcheur maximale, ne pas conserver plus de 3 jours au réfrigérateur ni plus de 3 mois au congélateur.*

# Seitan à la farine de gluten

*Une recette rapide et facile !*

| | |
|---|---|
| 250 ml (1 t) de farine de blé dur (farine à pain) non blanchie | |
| 30 ml (2 c. à s.) de semoule de maïs | |
| 85 ml (1/3 t) de levure alimentaire | |
| 15 ml (1 c. à s.) de gingembre moulu | |
| 15 ml (1 c. à s.) de poudre d'ail | |
| 15 ml (1 c. à s.) de feuilles de basilic séché | |
| 15 ml (1 c. à s.) de feuilles d'origan séché | |
| 5 ml (1 c. à thé) de thym | |
| Poivre de cayenne au goût | |
| 1 litre (4 t) d'eau tiède | |
| 65 ml (1/4 t) d'huile de tournesol | |
| 65 ml (1/4 t) de tamari | |
| 940 ml (3 3/4 t) de farine de gluten | |

**PRÉPARATION : 15 MINUTES**
**LAISSER REPOSER : 1 HEURE**
**CUISSON : 1 HEURE**

⮑ Dans un grand bol, mélanger tous les ingrédients secs (soit les 9 premiers). Ajouter ensuite l'eau, l'huile et le tamari, et mélanger à l'aide d'un fouet. Verser la farine de gluten d'un seul coup, et mélanger à la cuillère de bois.

⮑ Pétrir avec les mains pendant 5 à 8 minutes.

⮑ Laisser reposer à la température de la pièce pendant une heure.

⮑ Diviser cette grosse boule de seitan en trois parties et les faire cuire dans le bouillon de cuisson du seitan (voir recette suivante) pendant environ une heure à feu doux, à demi-couvert, en retournant de temps à autre les morceaux de seitan. Laisser refroidir dans le bouillon et réfrigérer pendant quelques heures avant de le couper en cubes, de le hacher ou de le trancher.

*Pour une fraîcheur maximale ne pas conserver plus de 3 jours au réfrigérateur ou 3 mois au congélateur.*

# Bouillon de cuisson du seitan

*Riche en minéraux*

| |
|---|
| 2 litres (8 t) d'eau |
| 65 ml (1/4 t) de tamari |
| 65 ml (1/4 t) d'huile de soja ou autre |
| 3 à 5 gousses d'ail |
| 7 à 8 tranches de gingembre frais |
| 5 ml (1 c. à thé) de concentré de légumes en pâte ou en poudre |
| 15 ml (1 c. à s.) de miso |
| Un morceau d'algue Kombu |
| 65 ml (1/4 t) de légumes séchés |
| 5 ml (1 c. à thé) d'umeboshi (facultatif) |
| 2 à 3 feuilles de laurier |
| 2 ml (1/2 c. à thé) de sel de mer |
| Poivre de cayenne |

**2 LITRES**
**PRÉPARATION : 5 MINUTES**

❧ Verser tous les ingrédients dans une marmite ou une grande casserole et porter à ébullition. Ajouter le seitan et réduire le feu en couvrant à demi. Laisser mijoter pendant 1 heure tout en retournant les morceaux de seitan de temps en temps.

*Ce bouillon bien assaisonné est très riche en minéraux et il contribue à la qualité du seitan.*

*Pour décongeler le seitan tout en conservant sa saveur et sa texture, le mettre au four à 120 °C (250 °F) sans le couvrir, pendant une heure ou plus selon la quantité.*

# Pennine aux tomates séchées et au seitan
## Une douceur pour le système digestif

| |
|---|
| 125 ml (1/2 t) de tomates séchées, coupées en lanières |
| Eau bouillante |
| 300 g (10 onces) de pennine cuits |
| 45 ml (3 c. à s.) d'huile de tournesol ou d'olive |
| 1 oignon haché |
| 6 à 8 champignons tranchés |
| 2 à 3 gousses d'ail émincées |
| 500 ml (2 t) de seitan coupé en dés |
| 250 ml (1 t) de boisson de soja |
| 1 poignée de persil frais, haché |
| Basilic et origan |
| Sel de mer aromatique |
| Poivre de cayenne |

**3 À 4 PORTIONS**
**PRÉPARATION : 10 MINUTES**
**TREMPAGE : 20 MINUTES**
**CUISSON : 20 MINUTES**

- Recouvrir les tomates séchées d'eau bouillante et les laisser tremper pendant 20 minutes.
- Verser l'huile dans un poêlon et y faire revenir l'oignon, les champignons et l'ail pendant environ 5 minutes. Ajouter le seitan et poursuivre la cuisson pendant quelques minutes encore.
- Mélanger tous les ingrédients dans une grande casserole, réchauffer et servir.

*Pour un festin gastronomique, ajouter 125 ml (1/2 t) de vin blanc sec.*

*Nous pouvons choisir parmi une grande variété de pâtes. Il est toujours préférable de choisir celles qui sont faites à partir de grains entiers.*

*Les pâtes constituent une excellente source d'hydrates de carbone.*

# Fettucine aux tomates et à l'aubergine

## Un mets savoureux et léger

| |
|---|
| 400 g (14 onces) de fettucine cuits |
| 3 gousses d'ail hachées |
| 1 oignon émincé |
| 1 aubergine moyenne taillée en petits cubes |
| 45 ml (3 c. à s.) d'huile de tournesol ou autre |
| 250 ml (1 t) de seitan coupé en dés ou haché |
| 796 ml (28 onces) de tomates en conserve |
| 30 ml (2 c. à s.) de tamari |
| Pincée de thym |
| Origan au goût |
| Sel de mer aromatique |
| Poivre de cayenne |

**5 À 6 PORTIONS**
**PRÉPARATION : 15 MINUTES**
**CUISSON : 20 MINUTES**

↝ Mettre l'ail, l'oignon, l'aubergine et l'huile dans un poêlon et faire cuire pendant environ 5 minutes. Ajouter le seitan et poursuivre la cuisson pendant quelques minutes. Ajouter le reste des ingrédients (à l'exception des pâtes alimentaires) et cuire à feu moyen pendant une dizaine de minutes sans couvrir. Verser sur les fettucine.

N.B. : Certaines aubergines ont un goût plus amer dépendant de la variété. Si vous les préférez plus douces, mieux vaut les peler, car la substance amère se retrouve sous la peau. On peut aussi dégorger l'aubergine. Pour ce faire, la trancher, la couvrir de gros sel et la laisser ainsi pendant environ une heure.

*J'utilise l'aubergine foncée et de forme allongée avec la peau et sans la dégorger.*

*Choisir une aubergine à la peau lisse et luisante, ferme et sans tache.*

*Riche en eau, en fibres et en protéines, ce légume ne contient que très peu de calories.*

# Sauté de légumes et de seitan à l'orientale
## Goûtez la différence !

| |
|---|
| 10 ml (2 c. à thé) de gingembre frais râpé (ou plus, au goût) |
| 4 oignons verts (échalotes) taillés en biais ou 1 oignon |
| 250 ml (1 t) de mange-tout taillés en biais |
| 500 ml (2 t) de laitue chinoise tranchée |
| 1 poivron rouge ou orange |
| 45 ml (3 c. à s.) d'huile de tournesol ou d'olive |
| 500 ml (2 t) de germes de soja |
| 500 ml (2 t) de seitan tranché |
| 10 amandes |
| 5 ml (1 c. à thé) de miel ou sucanat |
| 10 ml (2 c. à thé) de vinaigre balsamique ou de cidre |
| 30 ml (2 c. à s.) de tamari |
| 1 poignée de ciboulette ou de persil frais, hachés finement |
| Sel de mer aromatique (facultatif) |

**3 À 4 PORTIONS**
**PRÉPARATION : 15 MINUTES**
**CUISSON : 10 MINUTES**

❧ Dans un grand poêlon, cuire ensemble les 7 premiers ingrédients à feu vif pendant environ deux minutes. Réduire à feu moyen et cuire environ 5 minutes. Ajouter le reste des ingrédients et cuire encore quelques minutes. Les légumes doivent rester croquants.

*La variété a bien meilleure goût !*

*Ce plat santé, très riche en vitamines et minéraux, favorise une bonne élimination.*

*Le gingembre frais est un tonique antiseptique et diurétique qui stimule l'appétit et favorise la digestion. De plus, il aide à combattre les flatulences, les rhumes, la toux et les douleurs rhumatismales. On peut aussi le prendre sous forme de tisane : 15 ml (1 c. à s.) râpé dans 250 ml (1 t) d'eau bouillante. Couvrir et laisser reposer une quinzaine de minutes avant de boire.*

 VOIR PHOTO PAGE 66

# Fricassée de seitan aux amandes

*Fort satisfaisant !*

| |
|---|
| 500 ml (2 t) de seitan coupé en cubes |
| Farine de blé entier |
| 45 ml (3 c. à s.) d'huile de tournesol ou d'olive |
| 2 à 3 gousses d'ail hachées |
| 2 oignons tranchés |
| 250 ml (1 t) de mange-tout |
| 1 courgette (zucchini) coupée en rondelles |
| 1 carotte (grosse) coupée en fines rondelles |
| 125 ml (1/2 t) d'amandes concassées (au mélangeur ou au moulin à café) |
| 125 ml (1/2 t) d'eau |
| 250 ml (1 t) de sauce aux tomates (facultatif) |
| 30 ml (2 c. à s.) de tamari |
| Basilic et poivre de cayenne au goût |

**4 À 5 PORTIONS**
**PRÉPARATION : 20 MINUTES**
**CUISSON : 10 MINUTES**

◦ Bien enfariner les cubes de seitan puis les faire dorer dans un poêlon antiadhésif avec l'huile. Réserver. Mettre tous les légumes dans le poêlon et cuire légèrement. Ajouter le reste des ingrédients, puis les cubes de seitan. Réchauffer et servir ou cuire au goût.

◦ Accompagner ce repas d'une bonne salade verte et de pain croûté.

*Les amandes couronnent bien ce repas nutritif. L'amande est une excellente source de fer, de calcium, d'acide folique, de magnésium, de phosphore, de potassium et de protéines.*

# Sauce au seitan et aux tomates

*Une sauce passe-partout*

| |
|---|
| 1 oignon haché |
| 2 à 3 gousses d'ail hachées |
| 30 ml (2 c. à s.) d'huile d'olive ou autre |
| 30 ml (2 c. à s.) de farine de blé entier |
| 500 ml (2 t) de seitan haché |
| 500 ml (2 t) de jus de légumes frais ou en conserve |
| 5 ml (1 c. à thé) de miso |
| 15 ml (1 c. à s.) de tamari |
| Origan et basilic |
| Persil frais ou feuilles de céleri hachés au goût |
| Poivre de cayenne |

**3 À 4 PORTIONS**
**PRÉPARATION : 10 MINUTES**
**CUISSON : 8 MINUTES**

↬ Dans un poêlon, faire revenir l'oignon et l'ail dans l'huile pendant environ 2 minutes. Fermer le feu, ajouter la farine et bien mélanger. Ajouter le reste des ingrédients et cuire à feu moyen environ 5 minutes ou selon le goût.

↬ Servir après une entrée de salade.

*Cette sauce accompagne bien le riz, le quinoa, le couscous, le millet, les pâtes…*

# Escalopes de seitan
*Honneur à la tradition*

| |
|---|
| 125 ml (1/2 t) de tomates séchées |
| Eau bouillante |
| 8 tranches de seitan d'environ 1 cm (1/2 pouce) d'épaisseur chacune |
| Farine de blé entier plus 45 ml (3 c. à s.) d'huile d'olive ou autre |
| 1 poivron vert émincé |
| 1 oignon émincé |
| 3 ou 4 champignons tranchés |
| 10 olives noires émincées |
| 250 ml (1 t) de jus de légumes frais ou en conserve |
| Sel de mer aromatique |
| Poivre de cayenne |

**3 À 4 PORTIONS**
**PRÉPARATION : 20 MINUTES**
**TREMPAGE : 10 MINUTES**
**CUISSON : 10 MINUTES**

- Recouvrir les tomates séchées d'eau bouillante et laisser tremper 10 minutes. Enfariner les tranches de seitan, puis les faire dorer dans l'huile, de chaque côté. Réserver. Mêler le reste des ingrédients et les tomates séchées égouttées. Porter à ébullition, puis réduire à feu doux. Laisser mijoter de 2 à 3 minutes, puis incorporer les tranches de seitan.

- Variante : Le jus de légumes peut être remplacé par 3 ou 4 tomates fraîches coupées en dés.

- Servir sur un lit d'épinards et de germes de soja avec un bon croûton de pain.

*L'olive est très riche en matières grasses. L'olive noire contient du fer, quelques vitamines et minéraux. Elle est cholagogue, laxative et apéritive. C'est pourquoi l'huile d'olive est si exceptionnelle pour le bon fonctionnement de l'organisme.*

# Casserole de betteraves et de seitan

*Un mets inhabituel et savoureux*

| |
|---|
| 4 betteraves moyennes coupées en cubes |
| Eau |
| 1 oignon tranché |
| 1 poivron vert tranché |
| 1 branche de céleri coupée en biais |
| 1/2 petit navet râpé grossièrement |
| 45 ml (3 c. à s.) d'huile de tournesol ou autre |
| 500 ml (2 t) de seitan coupé en cubes |
| 30 ml (2 c. à s.) de jus de citron frais (ou vinaigre balsamique, au goût) |
| Sel de mer aromatique |
| Poivre de cayenne |

**4 PORTIONS**
**PRÉPARATION : 20 MINUTES**
**CUISSON : 25 MINUTES**

↪ Cuire les betteraves dans l'eau ou à la vapeur, puis les couper en cubes. Mettre dans le poêlon l'oignon, le poivron, le céleri, le navet et l'huile. Cuire à feu moyen de 3 à 4 minutes. Ajouter le seitan et continuer un peu la cuisson. Incorporer les betteraves et le jus de citron, puis les aromates au goût.

↪ Joli et délicieux !

↪ Servir avec du brocoli et des haricots verts, du fromage, des noix ou du tofu.

*La betterave est une excellente source de fer; elle contient aussi du potassium, des vitamines A et C, du calcium, du magnésium et du zinc. Facile à digérer, elle peut aussi aider à prévenir l'anémie.*

N.B. : Pour un goût plus doux ne pas mettre de citron ni de vinaigre balsamique.

*VOIR PHOTO PAGE 67*

# Terrine à l'oignon et au seitan
## Un goût distinctif !

3 ou 4 oignons émincés

45 ml (3 c. à s.) d'huile de tournesol ou autre

250 ml (1 t) de pois verts frais ou surgelés

250 ml (1 t) de maïs frais ou surgelé

30 ml (2 c. à s.) de farine de blé entier

500 ml (2 t) de seitan haché ou coupé en cubes

250 ml (1 t) de boisson de soja

30 ml (2 c. à s.) de tamari

Pincée de cumin

Ciboulette ou persil frais, hachés

Sel de mer aromatique

Poivre de cayenne

Chapelure de pain de blé entier (pain grillé et broyé)

Fromage râpé (facultatif)

**4 À 5 PORTIONS**
**PRÉPARATION : 15 MINUTES**
**CUISSON : 25 MINUTES**

Cuire l'oignon et l'huile dans un poêlon antiadhésif pendant 2 à 3 minutes. Ajouter les pois verts et le maïs, et poursuivre la cuisson quelques minutes. Fermer le feu et incorporer la farine. Bien mélanger. Ajouter le seitan et le reste des ingrédients à l'exception de la chapelure et du fromage râpé. Mélanger et verser la préparation dans une grande assiette à terrine ou un plat huilé allant au four de 23 cm (9 pouces). Garnir d'une bonne épaisseur de chapelure et parsemer de fromage râpé au goût.

*Vraiment exquis !*

*L'oignon est bénéfique pour notre santé. Cuit, il a des vertus régénératrices pour le cœur et cru, des propriétés diurétiques et antimicrobiennes. Recommandé pour traiter la grippe, les calculs biliaires, les parasites intestinaux, l'arthrite et le rhumatisme.*

N.B. : On peut utiliser de petites assiettes ou des plats à terrine individuels.

 *VOIR PHOTO PAGE 65*

# Seitan minute aux champignons

*Quel régal et vite fait !*

8 à 10 gros champignons coupés en quartiers

1 poivron rouge ou vert coupé en lamelles

1 branche de céleri coupée en biais

1 oignon coupé en rondelles

2 gousses d'ail émincées

30 ml (2 c. à s.) d'huile d'olive ou autre

15 ml (1 c. à s.) d'huile de sésame

500 ml (2 t) de seitan coupé en cubes

Pincée de cumin ou de cari

Sel de mer aromatique

Poivre de cayenne

**3 À 4 PORTIONS**
**PRÉPARATION : 10 MINUTES**
**CUISSON : 5 MINUTES**

❧ Dans un grand poêlon antiadhésif, faire sauter les légumes dans les deux sortes d'huile pendant 1 à 2 minutes. Ajouter le reste des ingrédients et cuire environ 3 minutes.

❧ Variante : Remplacer le cumin ou le cari par de la moutarde de Dijon 15 ml (1 c. à s.), du tamari 30 ml (2 c. à s.) et du miso 5 ml (1 c. à thé).

❧ Déguster accompagné de bon pain croûté et de noix.

*Le champignon doit être cuit à feu vif, car il perd son eau quand on le cuit longtemps. Il est reconnu pour sa richesse en potassium.*

# Seitan aux pommes de terre
## Un festin de pommes de terre !

1 courgette (zucchini) coupée en morceaux

4 pommes de terre moyennes coupées en gros cubes

2 oignons émincés

2 à 3 gousses d'ail

45 ml (3 c. à s.) d'huile de tournesol ou autre

85 ml (1/3 t) d'eau

500 ml (2 t) de seitan coupé en cubes

250 ml (1 t) de boisson de soja

15 ml (1 c. à s.) de tapioca moulu

65 ml (1/4 t) de graines de tournesol

5 ml (1 c. à thé) de cari

Sel de mer aromatique

Poivre de cayenne

**4 PORTIONS**
**PRÉPARATION : 15 MINUTES**
**CUISSON : 20 MINUTES**

> Déposer tous les légumes dans une grande marmite. Y verser l'huile, couvrir et cuire à feu très doux pendant environ 5 minutes. Ajouter l'eau et laisser cuire lentement 10 minutes environ en brassant de temps en temps. Ajouter de l'eau au besoin.

> Mélanger le reste des ingrédients dans un petit bol et les verser dans la marmite. Continuer la cuisson jusqu'à épaississement. Les pommes de terre doivent rester un peu croquantes.

> Servir avec une salade de légumes.

N.B. : Il vaut mieux enlever les germes et toute trace de vert des pommes de terre, car ils nuisent au bon fonctionnement de l'organisme.

*Excellente source de potassium, la pomme de terre contient aussi du magnésium, du fer, de la vitamine B6 et de l'acide folique.*

# Galettes de pois chiches et de seitan

*Goûtez ! Vous aimerez !*

500 ml (2 t) de pois chiches cuits (garder l'eau de cuisson)

125 ml (1/2 t) de boulgour

125 ml (1/2 t) eau bouillante

30 ml (2 c. à s.) de tahini (beurre de sésame)

250 ml (1 t) de seitan haché finement

30 ml (2 c. à s.) de tamari

15 ml (1 c. à s.) de moutarde en poudre

2 gousses d'ail pressées

Basilic

Poivre de cayenne

Farine de pois chiches ou chapelure de blé entier

**18 GALETTES**
**PRÉPARATION : 10 MINUTES**
**TREMPAGE : 10 MINUTES**
**CUISSON : 15 MINUTES**

Déposer les pois chiches dans le mélangeur ou le robot culinaire et les recouvrir avec de l'eau de cuisson. Réduire en purée épaisse. Faire tremper le boulgour dans l'eau bouillante pendant 10 minutes. Mélanger tous les ingrédients à l'exception de la farine de pois chiches (ou de la chapelure) et façonner des galettes. Les enrober de farine de pois chiches ou de chapelure et les faire brunir de chaque côté dans un poêlon légèrement huilé. (Les galettes se forment plus facilement lorsque la préparation est réfrigérée de 2 à 3 heures ou plus avant la cuisson).

*Les galettes de pois chiches et de seitan sont un véritable trésor pour notre santé… Complètes du point de vue protéique, elles sont aussi riches en minéraux en plus d'être facilement digestibles.*

N.B. : Ne pas oublier que le volume des pois chiches double avec la cuisson (1 tasse de pois chiches crus égale 2 tasses de pois chiches cuits). Faire tremper les pois chiches pendant 12 à 15 heures, jeter l'eau de trempage et mettre de l'eau fraîche. Couvrir et cuire pendant environ 1 heure 30 minutes.

# Pilaf de lentilles et de seitan

*Alléchant !*

| |
|---|
| 500 ml (2 t) d'eau |
| 398 ml (14 onces) de tomates en conserve ou jus de légumes |
| 85 ml (1/3 t) de lentilles vertes |
| 85 ml (1/3 t) de riz brun à grain long |
| 65 ml (1/4 t) de légumes séchés |
| 1 branche de céleri émincée |
| 2 gousses d'ail émincées |
| 5 ml (1 c. à thé) de concentré de légumes |
| 30 ml (2 c. à s.) d'huile de tournesol ou autre |
| 30 ml (2 c. à s.) de tamari |
| Basilic au goût |
| Poivre de cayenne |
| 375 ml (1 1/2 t) seitan coupé en petits cubes |

**3 À 4 PORTIONS**
**PRÉPARATION : 10 MINUTES**
**REPOS : 20 MINUTES**
**CUISSON : 25 MINUTES**

Cuire ensemble les 8 premiers ingrédients à feu moyen-doux pendant 20 minutes. Couvrir à moitié pour éviter tout débordement. Ajouter le reste des ingrédients et continuer la cuisson pendant environ 5 minutes. Si c'est trop épais, ajouter de l'eau et un peu plus de concentré de légumes. Fermer le feu, couvrir complètement et laisser reposer de 20 à 30 minutes sans brasser.

*Tout un délice…*

*Un repas simple et complet qui constitue un excellent substitut de viande.*

*Une abondance de vitamines et de minéraux facilement assimilables.*

# Haricots blancs et seitan
## Dé-lec-ta-ble !

| |
|---|
| 500 ml (2 t) de haricots blancs |
| 1 1/2 litre (6 t) d'eau |
| 65 ml (1/4 t) de légumes séchés |
| 65 ml (1/4 t) d'oignons séchés |
| 2 feuilles de laurier |
| 15 ml (1 c. à s.) de moutarde sèche |
| 5 ml (1 c. à thé) de concentré de légumes |
| 1 oignon haché finement |
| 1 carotte coupée en cubes |
| 250 ml (1 t) de seitan coupé en cubes ou haché |
| 45 ml (3 c. à s.) d'huile de soya ou autre |
| 45 ml (3 c. à s.) de tamari |
| 5 ml (1 c. à thé) de miso |
| 398 ml (14 oz) de sauce aux tomates en conserve, non sucrée |
| Sel de mer aromatique |
| Poivre de cayenne |

**6 PORTIONS**
**PRÉPARATION : 10 MINUTES**
**TREMPAGE : 10 HEURES**
**CUISSON : 1 HEURE**

↦ Laver les haricots et les faire tremper dans 1 1/2 litre (6 t) d'eau pendant 10 heures. Jeter l'eau de trempage. Ajouter de nouveau 1 1/2 litre (6 t) d'eau, les légumes séchés, les oignons séchés, les feuilles de laurier, la moutarde sèche et le concentré de légumes. Porter à ébullition et réduire le feu à moyen. Couvrir et laisser mijoter 30 minutes. Ajouter le reste des ingrédients et continuer la cuisson pendant environ 30 minutes. Si le mélange est trop épais, ajouter de l'eau et des assaisonnements au besoin.

↦ Pour un véritable festin, accompagner ces délicieux haricots blancs au seitan d'une salade de légumes et de betteraves cuites arrosées de jus de citron.

*Pauvres en gras, les haricots (des légumineuses) sont riches en calcium, magnésium, phosphore, fer, vitamine B, en plus d'avoir une excellente valeur protéique.*

# Pâté de seitan et de pois chiches

## Consistant et facile à faire

| |
|---|
| 3 tranches de pain de blé entier ou autre |
| 250 ml (1 t) de boisson de soja |
| 250 ml (1 t) de seitan coupé en morceaux |
| 500 ml (2 t) de pois chiches cuits |
| 1 oignon |
| 2 à 3 gousses d'ail |
| 30 ml (2 c. à s.) d'huile de soja ou autre |
| 15 ml (1 c. à s.) d'huile de sésame |
| 15 ml (1 c. à s.) de tahini (beurre de sésame) |
| 45 ml (3 c. à s.) de tamari |
| 65 ml (1/4 t) de légumes séchés |
| 30 ml (2 c. à s.) d'oignons séchés |
| Sel de mer aromatique |
| Poivre de cayenne |

**6 À 8 PORTIONS**
**PRÉPARATION : 10 MINUTES**
**CUISSON : 25 MINUTES**

Émietter le pain et le laisser tremper dans la boisson de soja jusqu'à absorption complète du liquide. Mettre le seitan, les pois chiches, l'oignon et l'ail au robot culinaire et réduire en pâte granuleuse. Ne pas trop brasser (l'oignon et l'ail ne doivent pas se défaire complètement). Retirer et mélanger avec le reste des ingrédients. Mettre dans un plat huilé allant au four de 23 cm X 23 cm (9 pouces X 9 pouces). Cuire au four à 180 °C (350 °F) pendant environ 25 minutes, ou jusqu'à ce que le pâté soit bien doré.

*Pour un repas complet à tous points de vue !*

*Ce pâté, de par ses vertus thérapeutiques, favorise une bonne santé. Il est riche en protéines, ce qui en fait un repas d'une valeur nutritive exceptionnelle.*

N.B. : 250 ml (1t) pois chiches non cuits donne environ 500 ml (2t) de pois chiches cuits. Les faire tremper environ 15 heures avant de les cuire. Cuisson : 1 volume de pois chiches dans 3 volumes d'eau. Couvrir à demi et porter à ébullition. Réduire à feu doux et laisser mijoter pendant 60 à 90 minutes selon le goût.

# Quiche à la courge Butternut et au seitan

*Un léger parfum de courge et de muscade*

| |
|---|
| 1 abaisse de tarte non-cuite (fond de tarte, voir p. 110) |
| 1 oignon haché |
| 5 à 6 champignons hachés |
| 30 ml (2 c. à s. ) d'huile de tournesol |
| 500 ml (2 t) de courge Butternut coupée en cubes |
| 500 ml (2 t) de seitan en morceaux |
| 1/2 branche de céleri |
| 335 ml (1 1/3 t) de boisson de soja ou autre lait |
| 30 ml (2 c. à s.) d'huile de tournesol |
| 15 ml (1 c. à s.) de farine de blé entier |
| Pincée de muscade ou 1 ml (1/4 c. à thé) |
| Sel de mer aromatique |
| Poivre de cayenne |

*Garniture :*
Graines de citrouille ou de tournesol ou encore
du fromage râpé

**6 PORTIONS**
**PRÉPARATION : 15 MINUTES**
**CUISSON : 25 MINUTES**

⍁ Mettre la courge Butternut et le seitan dans le robot culinaire. Brasser pour hacher finement (donne une pâte granuleuse). Réserver. Faire revenir les oignons et les champignons dans l'huile. Mélanger tous les ingrédients dans un grand bol, sauf la garniture. Déposer dans l'abaisse non-cuite et ajouter la garniture. Cuire au four à 180 °C (350 °F) pendant 25 minutes.

N.B. : Si vous n'avez pas de robot culinaire, utilisez le mélangeur en y mettant de petites quantités à la fois. On peut aussi préparer des mini-quiches pour des portions individuelles.

*Les courges sont nourrissantes et énergétiques et la Butternut est particulièrement douce pour l'organisme. Les graines de courges possèdent aussi des vertus thérapeutiques intéressantes. Ainsi, elles sont diurétiques et aident dans les cas d'infections urinaires ou les troubles de la prostate.*

*VOIR PHOTO PAGE 65*

# Choux farcis aux céréales et au seitan

*Fameux dans leur sauce*

| |
|---|
| 10 feuilles de chou vert de Savoie (chou frisé) |
| Eau bouillante |
| 45 ml (3 c. à s.) d'huile de tournesol ou autre |
| 2 gousses d'ail émincées |
| 1 branche de céleri hachée |
| 1 oignon haché |
| 1 carotte râpée finement |
| 500 ml (2 t) de seitan haché au robot culinaire ou au mélangeur |
| 315 ml (1 1/4 t) de millet, ou de riz, ou de sarrasin cuit |
| Sel de mer aromatique |
| Poivre de cayenne |
| 398 ml (14 onces) de sauce aux tomates en conserve ou autre sauce au choix (voir table des matières) |

**10 ROULEAUX**
**PRÉPARATION : 25 MINUTES**
**TREMPAGE : 1 HEURE**
**CUISSON : 35 MINUTES**

- Recouvrir les feuilles de choux d'eau bouillante et les laisser tremper 1 heure. Déposer tous les légumes avec l'huile dans un poêlon et cuire 5 minutes. Mélanger le reste des ingrédients à l'exception de la sauce. Farcir chaque feuille de chou, la rouler et la déposer dans une casserole huilée de 23 cm X 30 cm (9 pouces X 12 pouces). Verser la sauce sur les rouleaux et cuire au four à 180 °C (350 °F) pendant 25 à 30 minutes.

- Servir avec des haricots verts et une salade verte comme entrée.

- Variante : Farcir de jolis poivrons aux couleurs variées.

*Un repas de féculents très nutritif !*

# Seitan chinois

*Sur le pouce !*

| |
|---|
| 15 ml (1 c. à s.) de gingembre frais râpé |
| 6 à 8 champignons tranchés ou coupés en quartiers |
| 1 oignon coupé en lamelles |
| 30 ml (2 c. à s.) d'huile de tournesol ou autre |
| 500 ml (2 t) de seitan coupé en petites tranches |
| 30 ml (2 c. à s.) de tamari |
| 5 ml (1 c. à thé) de miel (facultatif) |
| Poivre de cayenne |

**3 À 4 PORTIONS**
**PRÉPARATION : 10 MINUTES**
**CUISSON : 5 MINUTES**

↪ Dans un poêlon antiadhésif, déposer le gingembre, les champignons, l'oignon et l'huile et faire revenir sur un feu vif environ 3 minutes en brassant. Fermer le feu et ajouter le reste des ingrédients. Réchauffer et servir.

↪ Servir avec de bons légumes crus et du riz ou des pâtes, des légumineuses ou quelques noix.

↪ Variante : Ajouter une sauce aux tomates et de la basilic.

*Le seitan contient très peu de gras et aucun cholestérol. Il ne remplace pas la viande à lui tout seul, mais en l'accompagnant de légumineuses, de noix ou de produits laitiers on peut compléter sa valeur protéique. Lorsque le seitan est servi avec une céréale, on obtient un repas de féculents.*

# Pot-au-feu au seitan

*Regorge de légumes savoureux*

| |
|---|
| 1 branche de céleri |
| 3 carottes |
| 1 petit navet |
| 1 poireau ou 1 à 2 oignons |
| 4 pommes de terre |
| 5 ml (1 c. à thé) de concentré de légumes |
| 1 feuille de laurier |
| 796 ml (28 onces) de tomates en conserve |
| 375 ml (1 1/2 t) d'eau |
| 5 ml (1 c. à thé) de miso |
| 45 ml (3 c. à s.) de tamari |
| 500 ml (2 t) de seitan coupé en gros cubes |
| 30 ml (2 c. à s.) d'huile de tournesol ou autre |
| Sel de mer aromatique |
| Poivre de cayenne |

**6 PORTIONS**
**PRÉPARATION : 20 MINUTES**
**CUISSON : 25 MINUTES**

Couper grossièrement tous les légumes en biseau. Déposer dans une grande casserole, ajouter le concentré de légumes, la feuille de laurier, la boîte de tomates et l'eau. Porter à ébullition et réduire le feu à moyen. Couvrir et laisser mijoter environ 20 minutes. Ajouter le reste des ingrédients et cuire quelques minutes de plus ou selon le goût.

*De bons légumes de chez nous toujours appréciés.*

*Bonne santé !*

# Index des recettes

# Cours de cuisine

## et

## conférences

### avec

# Colombe Plante

*pour plus d'information,*
*contactez-moi au :*

## (450) 658-0980

info@AdA-inc.com
www.AdA-inc.com

# Autres titres disponibles dans la même collection

## En vente dans les librairies et les magasins d'aliments naturels.